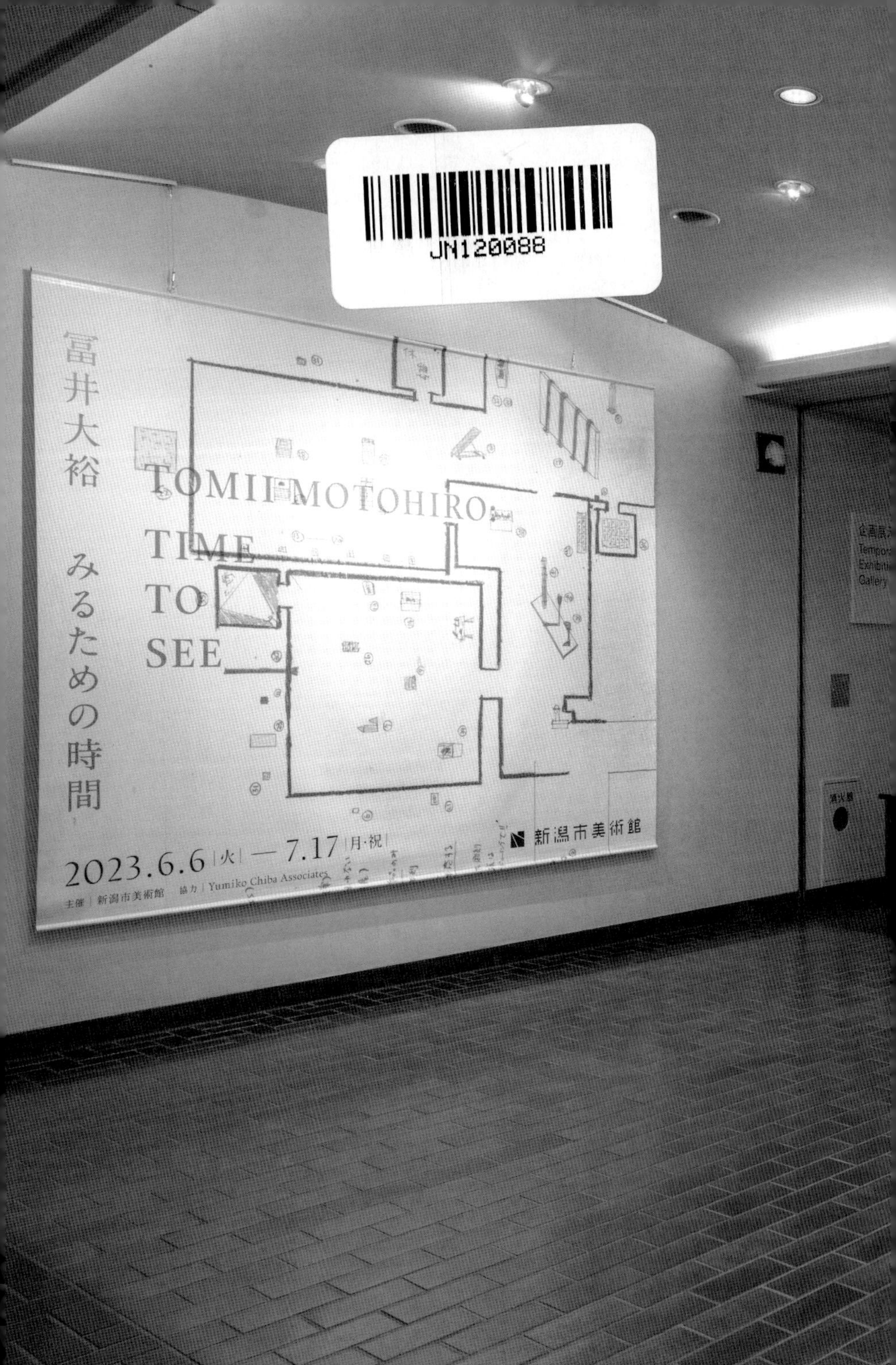
JN120088
冨井大裕
みるための時間
TOMII MOTOHIRO
TIME
TO
SEE
2023.6.6 |火| — 7.17 |月·祝|
主催 | 新潟市美術館　協力 | Yumiko Chiba Associates
新潟市美術館

冨井大裕

みるための時間

水声社

はじめに

現代美術のフィールドで活躍する冨井大裕（とみい・もとひろ）は、一九七三年新潟市で生まれた作家です。彫刻を学び、主に立体作品を発表する一方で、近年は自作や他の作家について、あるいは美術や表現全般に関する批評、講演、執筆活動も精力的に行っています。

本書『冨井大裕　みるための時間』は、新潟市美術館で開催される同名の展覧会に際して刊行されるものです。この展覧会は、作家がミッドキャリアを迎える節目に、そのスタイルを確立させたともいえる二〇〇五年以降に発表された主要な作品によって構成されました。

ここに並ぶ作品は、一見すると〝彫刻〟とはいいがたいものに感じられるかもしれません。冨井が素材として扱うのは、画鋲、色鉛筆、折紙のような、誰もが目にしたことのある文具、ハンマーなどといった道具です。それらはそれぞれに用途をもって、大量に生産されたものたちです。冨井はそれらを、その「用途」のために備わっている、形状、サイズ、重さ、色彩、特性（突き刺すことができる、とか、粘着力がある、など）を、加工することなくそのままに利用しながら、作家の定めたある秩序のもとに構成することによって、その本来の用途を宙吊りにし、「作品」という純粋な造形に転換してみせます。冨井の仕草によって、われわれの生活にあふれていたはずの日用品は、ありありとその姿を保ちながら、同時に、「作品」というただ一つの、新たな非日常の様相を帯び始めるのです。

同じようにひとの手によってつくられたモノでありながら、どこから「作品」が始まるのか、そんなことを冨井は問い続けているのかもしれません。

展覧会とは、作品を一定の秩序のもとに編成して見せるという機能をもった場ですが、冨井はこれを単なる回顧展にすることを選びませんでした。作家は、自身の表現の試行錯誤と美術館固有の空間性を意識しながら、展覧会を一直線に進んでいるわけではない、できごととしての作品の生起する、ダイナミズムをもった場所として構成することを野心的に試みています。

本書もまた、その企てを印刷物のかたちで実現することになるでしょう。作品とは何か。展覧会とは、美術館とは何か。われわれが既知のものとして文字通り過ごしていることに、あらためて立ち止まり、出会い直す、それこそが美術という表現の持つ力であり、いうなれば機能であり、それを提供し続けることが、美術家のなすべき役割なのではないでしょうか。冨井の発する挑発に、五人の論者がテキストを寄せ、あるいは問いに応答し、あるいはここで問われているものとは何か、という新たな問いへと誘います。本書は作品、展覧会のドキュメンタリーであるとともに、そこから展開する豊かなコメンタリーでもあるのです。

本書を通じて、冨井大裕という現在進行形の思考／試行を体験していただくことができたのなら、この冒険に関わった一員として、望外の喜びです。

新潟市美術館

目次

冨井大裕の彫刻という手段

菊川亜騎［神奈川県立近代美術館　学芸員］

身近に親しんでいる文房具や日用品といった既製品。それは用途のために人体に適合するように生まれながら、いまや自然物以上に、私たちの生活や行動、思考さえも規定しているようだ。そんな既製品に付与された機能を剥奪し、色や形に還元して組み合わせ、新たな彫刻を実現してきた冨井大裕。その作品はものを仔細に観察し、指示書に基づいて配置したり反復したり関係付けることによって生まれる。早くから美術史を意識した制作を行い、制作の方法論を確立して現代美術の旗手として注目を集める。しかし、大学で学び自らの出自である彫刻については一定の距離を保っていた。転機となるのが二〇一〇年頃で、彫刻の生起を問う《今日の彫刻》(二〇一一)などを手がけることを通して、徐々に彫刻との距離を縮めていった。冨井は作者とは何か、作るとは何かを問うことの一環として様々なコラボレーションも行っているが、CAMPのトークイベント「《オブジェ》再論」(二〇一〇)に「ツールとしての彫刻」として寄せたテキストは、彫刻とその歴史に対する向き合い方を簡潔に示している。

> 日本において、彫刻は旧態依然としたメディアではないが、崇高さや歴史をともなった様式でもない。現状、彫刻にこだわる作品を作ることが、今後の美術の新しい可能性を開くとも、また、これまでの美術の良き部分を継承することへの免罪符となるとも思えない。(……)重要なことは「彫刻はただの彫刻である」ということを露呈し、受け入れ、その上で使いこなすことであろう●1。

彫刻を作ることの目的とするのではなく、作るためのひとつのツール=道具として見出す。「道具」は実際的な制作のための技術ということだけでなく、「手段」と言い換えることもできようか。この読み替えは、冨井が彫刻に近づくために立てた問いであったようにも思われる。冨井作品についてはすでに多くの批評があるが、本稿はこれまで交わされた議論を継承しつつ、主に二〇一〇年以降の作品と言説から新たな視点を付与することを目的としたい[2]。

見せる技術

ものを並べ、配置し、解体するという指示書こそが冨井作品の核であり、それ

1 ― CAMP彫刻トークシリーズ「《オブジェ》再論」(二〇一〇年四月)のために冨井が寄せたテキスト。(http://ca-mp.blogspot.com/2010/04/100424.html、最終閲覧二〇二三年五月一日)

2 ― 本稿では以下を基本文献とした。『switch point／冨井大裕の十年』switch point、二〇二〇年。SUMITOMO Fumihiko, "On TOMII Motohiro: the plurality and lightness," in: TOMII Motohiro, *the plurality and lightness*, Yumiko Chiba Associates, 2015. 梅津元「脱皮する彫刻 ――〈見る〉ことから〈こぼれおちるもの〉」『Motohiro Tomii: works 2006-2010』(私家版)、二〇一一年、一六－一九頁など。

は紛れもなくコンセプチュアル・アートの作法であろう。しかし、方法論が明示されているにもかかわらず、その結果として観客に提示されるのは一見「趣味的」な判断で作られたようなささやかな造形物であった。それはミニマル・アートにおける合目的な形の反復システムが、ともすれば非合理なジレンマの体現に見えてしまうのと対照的で●3、完成した形は強い必然性を感じさせる。その造形物はポスト・ミニマル以降の二十世紀の様々な美術様式を召喚し多様な読みを誘うが、その企みは成功しない。

作品とは何かということをめぐって、冨井は同世代の美術家・田中功起（一九七五–）による雑誌の連載企画「質問する」（『ART iT』二〇一〇）において往復書簡を交わしているが、ここでは二人の関心の違いが明瞭に表れていて興味深い（これについてゼロ年代美術としての検証はまたの機会としよう）。指示書というものがシステムと結果を同時に内包するものであれば、展示として結果を見せる必要があるのかという議論において、冨井は原因＝結果の提示に留めず、結果として生じる造形にも、作者が美的判断を行うことを肯定する立場をとる。そして、それこそが作者のアイデアを過不足なく伝えるために必要な「見せる技術」だとしている●4。つまり、作品の強度に関わっているのはこの技術ということになろう。

例えば《ゴールドフィンガー》（二〇〇七）という作品は、画鋲をグリッドの規則に従って密集するように壁に刺した作品である。擬似平面による円の集合は、外形（フレーム）の効果によってともすれば金の色面に覆われた抽象絵画のようにも見える。本作は設置する空間にあわせて作られるため、展示ごとに作品から受ける印象が異なるのが特徴だが、あるものは感覚の絶対性を、あるものは観客が色面に没入するようなオールオーヴァーの感覚を作り出している。これはもっぱらフレームに援用されているグリッドの比率の効果によるものだ。前者に

3―ロザリンド・クラウス「ルウィット・イン・プログレス」『オリジナリティと反復』小西信之訳、リブロポート、一九九四年、一九七–二〇一頁。

4―冨井大裕「連載 田中功起 質問する 四–四：冨井大裕さんから 二」『ART iT』、二〇一〇年。（https://www.art-it.asia/u/admin_columns/qwgy2qipcnsxfglob9e/、最終閲覧二〇二三年五月一日）コンセプチュアル・アートにおける指示と作品としての結果物について、冨井は田中功起による「原因が結果」展（二〇〇五）にも触れつつ議論を展開している。

は正方形が、そして後者には映画のスクリーンの比率が適用されており、正方形・正円・球といった対称性のある幾何学がもつ重力的均衡の原理や、視覚や空間認識に関わる工業製品の規格、これらを巧みに組み合わせて説得力ある構造を生み出しているのである。これは他の作品にも同様で、ボールとアルミ板を交互に積んだ《ball sheet ball》(二〇〇六)でも、単位の配置や関係づけにも多層的に形を潜ませ、観客の視線を管理している。また、色彩が果たす役割も忘れてはなるまい。無数の画鋲に乱反射する金色や、ボールを用いた色相の調和／破綻は、審美的な目的ではなく、形の構造を強めることに作用しているのだ。

論理的に導き出された冨井作品がなぜか彫刻に見えてしまうのは、徹底して見えないように作り込まれたこの「見せる技術」によるのかもしれない。しかし、私たちがいつまでもこの作品を眺めていることができるのは、その軽やかな造形が彫刻の体験とは何かという本質的な問いを内包し、その判断を絶え間なく揺さぶるからである。冨井が方法論を経由して、形と色そのものが感性に働きかける抽象を彫刻として実現した意義について、改めて考える必要があるように思われる。

彫刻の体験／身体という尺度

彫刻というものが生じる状態を問題化したのが、《今日の彫刻》である。これは生活のなかで冨井が彫刻として見出したものや状況を写真に収め、ツイッター上で発表する作品で、人々の暮らしと都市が生み出す生活のノイズともいうべき造形が毎日のように投稿される。個展「daily composition」（Art Center Ongoing, 2014）にて、本作はゴミ捨て場の袋が様々な方法で集積される様子を撮影した写真とともに発表された。これらの「野生の彫刻」と名付けられた、刹那のブリコラージュはおかしみを誘う。今日、私たちはいまやインターネットの仮想空間と現実の空間を分け隔てなく生きている。ではこのとき、彫刻の体験はどこに在るのだろうか。

世界を測る物差しとして現れるのが、人体／身体という主題である。人体は表象／再現する対象ではなく、既製品のうちに内在するものであり、鉛筆を聖人に見立てた《セバスチャン》（二〇〇四）のような事例はあるものの、人間の存在を示唆することには慎重な姿勢を貫いてきた●5。そのなかで二〇一二年から新たな主題となったのが衣服であった。私たちが日頃身につける洋服は、パターン（設計図）に基づいて作られる。それは、いうなれば身体を分節化し、その表面を展開したものともいえよう。当初はジーンズなどの衣服へわずかに手を加えた作品を発表していたが、身体というボリュームのネガとポジの関係が紙上の一本の線から現れることに着想を得て、〈線のためのポートレイト〉（二〇一八）へと展開させた●6。ここでは一枚の洋服の腕・胴体・足の任意のパターンをアクリル板に置き換え、平面構成に仕立てている。展示台の縁からはみ出すような構成はアンソニー・カロへのオマージュともいえそうだが、パターンは人体構造のシンタクス（構文）と逆さに組成され、不在の身体が立ち現れる。人体を作ること、立たせることへの関心は、粘土という素材を主題にした《粘土の為のコンポジション》（二〇一四）でも実践している通りだ。

既製品を用いるとき、冨井はものを装飾する背景を丁寧に取り去ってきた。

しかし、それは作品から歴史性を排除するということではない。身体に宿る実感、その実践として彫刻を問う——手法は違えど、それは戸谷成雄（一九四七－）や遠藤利克（一九五〇－）ら、ポスト・ミニマリズムやもの派のあとに、近代アジアの意識から彫刻を再興した作家たちとも、同じ意識を共有しているといえよう。とりわけその作品のうちに「人体彫刻の影」を投影している戸谷からは、存在のネガとポジ、視線の交換関係など、制作上の着眼点を継承していったように思われる●7。道具や日用品、居住空間や都市を構成するものを仔細に観察する冨井の手つ

5—身体および彫刻との距離の問題については『switch point／冨井大裕の十年』（switch point、二〇二〇年）所収の以下の論考を参照。森啓輔「空ろの身体」（八一頁）、石崎尚「冨井試練の十番勝負」（九四－九九頁）。

6—本作はファッションブランドtac:racとの協働による。展覧会では衣服のパターンをデザイナーが選択し、ルールに基づいて冨井が形を組み合わせた。

7—冨井大裕「廻る——戸谷さんの制作」『戸谷成雄 彫刻』T&M Projects、二〇二二年、二一九－二二〇頁。戸谷成雄の彫刻理論の要となる斜視線は、冨井の近年の個展「斜めの彫刻」（Yumiko Chiba Associates viewing room shinjuku, 2020）で角度が知覚に与える問題として作品化されている。

きは、時として考現学を思わせる。この学問が隆盛したのは大正から昭和へと日本人の生活構造が大きく変貌しつつある時代であった。グローバル化やインターネットの普及によって急速に情報が均質化するなか、「私」の身体的実感をひとつの尺度に「今日」の細部を見つめることで、文化を形づくる造形の感性を彫刻から問おうとしているのかもしれない。

塑造／近代彫刻史の構造

ところで、前述した《粘土の為のコンポジション》をはじめとして身体という主題とともに前景化したのが、塑造という技術への関心である。それは衣服に着目した作品の続編、個展「線を重ねる」（Yumiko Chiba Associates viewing room shinjuku, 2021）でも、平面構成に置き換えられた身体を立たせるものとして、あえて塑造制作で用いる支持具を用いていることからも明らかだ。この関心はおそらく冨井と彫刻の出会いに関わるものだろう。人体塑造は学生時代に最も情熱を注いだものであったという。ただこれは単なる追懐ではない。なぜなら、「私」と彫刻の関係を巨視的に俯瞰するとき、教育はひとつの主題になりえるからである。塑造教育への関心が端的に示されたのが、コラボレーションのひとつであるAGAIN-STの展覧会「ルーツ／ツール　彫刻の虚材と教材」（武蔵野美術大学美術館・図書館、二〇二二）である[8]。AGAIN-STは美術教育をひとつのきっかけとして、彫刻を問う機会を創出することを目的とした活動であるが、本展では冨井の発案により、美術大学の人体塑造の教育で実際に使われている等身像の芯棒が展示された。芯棒とは粘土をつけるための支持体で、粘土が肉なら芯棒は骨といえようか。それゆえ、塑造の根幹としてある種の精神性を伴って語られることも多い。本来は見せないものに無意識の美学を「見る」という発想か

8 | AGAIN-STは作家・美術教育者である冨井大裕、深井聡一郎、藤原彩人、保井智貴、近現代彫刻研究を専門とする石崎尚、デザイナーの小山麻子によって二〇一二年に結成。日本の彫刻の現状とその有効性について考える機会を創出するための活動をしている。本展はその結成十周年展で冨井が企画運営を行い、展覧会タイトルは石崎からの提案をうけて合議で決定された。（冨井大裕へのzoomインタヴュー、二〇二三年五月二日）

ら、東京を中心とする六つの大学の芯棒を集め、教育についてのインタヴュー音源とともに展示された●9。

塑造は「彫刻」という概念とともに、明治の近代化政策の一つとして輸入されたものである。工部美術学校、東京美術学校（現・東京芸術大学）の塑造科を通じて普及し、やがて彫刻教育の中心的な位置付けとなり各地の美術大学へ受け継がれていった。冨井がかつて指摘したように彫刻の歴史は浅く、教育機関の存在がジャンルの成立を支えてきたことも事実である。塑造の技術は中央から地方へと伝播し、地域のなかで独自の様式化を辿っていく。芯棒はその象徴であろう。例えばそれを、近代彫刻史の写し鏡としてみることができるだろうか。彫刻の歴史を「露呈し、受け入れ、その上で使いこなす」方法とはなにか――。いうまでもなく、この展示はあくまで教育課程のアーカイヴを目的としたものではあったのだが、標本のように等身像の芯棒が陳列された光景は、近代彫刻史の構造を「見る」ために冨井によって誂えられた作品のように思われたのである。このような批評的観点をもつとき、これまでの作品をどのように読むことができるだろうか。

時として冨井が自らを世界に対する傍観者だと位置付けるのは、ものの存在を問う彫刻を手段として客体化するために必要とした距離感であったのかもしれない●10。途切れることなく続いてきた《今日の彫刻》は、今この瞬間も生起しているだろう。それは彫刻が「ただの彫刻」にすぎないことを非情に晒すとともに、ものを「見る」ことに含まれる判断を問う作家の透徹した思考を伝える。かつてこの言葉を更新してきた先人たちと同様に、冨井もまた作り続けるために彫刻を廻っているのかもしれない。

9—この展示では予算の都合上、AGAIN-STのメンバーと縁のある金沢美術工芸大学、多摩美術大学、東京芸術大学、東京造形大学、日本大学、武蔵野美術大学のものが展示された。

10—註7に同じ。

彫刻の教え

星野 太
［東京大学大学院総合文化研究科　准教授］

一

冨井大裕の彫刻作品は、見るからにありふれた日用品をおもな材料としている。ここでは《woods》（二〇〇五）と《ゴールドフィンガー》（二〇〇七）を例にとろう。前者の《woods》は、まったく同じ種類の金槌を十六本用意し、それを密集させ敷き詰めた作品である。赤いヘッド部分が下になっているため一見それとわかりにくいが、よく見れば、これが何の変哲もない金槌の集合体であることは明らかだ（このヴァリエーションとして、やはり数十本の金槌からなる《woods#2》（二〇〇九）という作品もある）。後者の《ゴールドフィンガー》は、どこの家にもある金色の画鋲を縦横に――かつ、きわめて規則的に――並べた作品である。最近、同作品が東京国立近代美術館にインストールされたときの記録映像を目にしたが、そこでは予想に違わず、複数のスタッフによって無数の――具体的には二七二二五本の――画鋲が壁に打たれていく様子が映し出されていた。

これらの作品は、ある意味では当然のことながら、二十世紀初頭にマルセル・デュシャンが創始したレディメイドの延長線上にあるものとみなされてきた。あらためて確認するまでもなく、レディメイドが可能にしたのは、ある明確な用途をもった大量生産品を本来の役目から切り離し、それを鑑賞されるべき「作品」へと転じることだった（デュシャンの《噴水》が引き起こしたスキャンダルの核心は、男性用小便器を作品として示したことにあるのではなく、それを本来の機能から切り離してみせたことにある）。それでは、冨井大裕の作品をレディメイドとして見たとき、それはどのような言葉で把握されるだろうか。たとえばこうである。デュシャンにおいては車輪や小便器であったものが、ここでは画鋲やハンマーといったより小さな対象へと転じ、なおかつそれが一定の集合体として提示されることで、本来の使用価値とは異なる展示価値を有するに至っている――おそらく、冨井の作品をレディメイドの文脈におこうとする人々の言説は、こうした物語に行き着くように思われる。

他方、冨井大裕の作品において、複数の同じ物品が一定の秩序にしたがって並べられているという点に着目する人々は、これをミニマル・アートの文脈においてみたいという欲求にかられるかもしれない。むろん、冨井の作品のなかには《board pencil board》(二〇〇七)や《ball sheet ball (see through)》(二〇一四)のように一定のコンポジションを含んだものも少なくないのだが、総じてその作品は、作家の恣意を極限まで切り詰めた(ように見える)幾何学的な規則性を有している。たとえば《ball pipe ball》(二〇〇九)や《stacked container on base》(二〇一一)などがその典型である。それゆえこれを、ドナルド・ジャッドやフランク・ステラをはじめとするミニマル・アートの系譜に連ねるという発想も、おそらく一定の妥当性をもって受け取られるにちがいない●1。

二

ところで、この彫刻家の作品には、どんなに目を凝らしても見ることのできない重要なパーツがひとつある。それは《woods》や《ゴールドフィンガー》の作品データに含まれる「指示書」である。たとえば、東京国立近代美術館のデータベースにおける《ゴールドフィンガー》の「素材・技法」欄には「画鋲、指示書」という文言が、同じく《roll (27 paper foldings) #15》の「素材・技法」欄には「折り紙、ホチキス、指示書」の文言がみえる。ほかの作品のキャプションに目を転じてみても、そこにしばしば「指示書」の三文字が現れるのは、冨井大裕の作品を見慣れているものにとっては周知の事実に属するだろう。

わたしがこの事実を意識することになった直接的なきっかけは、いまから十年

1 — 冨井大裕の作品をレディメイド、インスタレーション、ミニマル・アートとの関連において論じたものとしては、住友文彦による次の文章が参照に値する。SUMITOMO Fumihiko, "On TOMII Motohiro: the plurality and lightness," TOMII Motohiro, Yumiko Chiba Associates, 2015, pp. 35–40.

以上前に行なわれたアーティスト・トークだった。そのとき冨井は、やはり市販の付箋や折り紙のような、どちらかというと繊細な素材を主とする作品を発表していた。その話題が出たのは、たしか作品の売買に話が及んだときだったと記憶している――そのとき作家は、これらの作品の売買に際しては、かならず指示書のやりとりがなされるという内容のことを語ったのだった。たしかに、現実的な問題として、作品の物質的な支えである付箋や折り紙をぽんと渡されても、ほとんどのコレクターは途方に暮れてしまうにちがいない。その意味で言えば、作品の設計図たる指示書が両者のあいだでやりとりされることにも、さしあたって大きな不思議はないはずだ。

他方、いまわれわれが問題としているような文脈において、この「指示書（instruction）」というものの意義をどのように考えればよいだろうか。これがまずもって連想させるのは、フルクサスのそれをはじめとする過去のインストラクション・アートである。たとえばオノヨーコの《インストラクション・ペインティング》（一九六二）のような作品は、できあがった作品そのものではなく、ある特殊なインストラクション（指示）によって観客を一定の行動に導くことを主たる目的とする。美術史的に言えば、二十世紀後半にあらわれた芸術の脱物質化のひとつの支流であるということになろうが、その範囲を広く取れば、鑑賞者への「指示」を中核とするタイプの芸術作品すべてにこれと同じ性格を見いだすことができるだろう。
　冨井が作品のメディウムに「指示書」を挙げるとき、むろんそこでは、歴史的な先行対象としてのインストラクション・アートが念頭におかれているはずだ。もちろん、現実的な問題として、冨井の作品が現にこのような姿をとるためには、たんに市販のさまざまな商品を用意するだけでは不十分である。それが現に「このような」作品でありうるためには、その素材をどのようにセットするかという作家その人の指示が不可欠である——さしあたり、そのことに異論はないだろう。そうなると、この彫刻家の作品における「指示書」とは、つまるところ作品の設計図であるということになる。しかし、はたしてそれで話は終わるだろうか●2。

2—みずからの作品における「指示書」の存在に作家が自覚的であることの証左はいくつもある。さしあたりここでは、二〇〇七年にart & river bankで行なわれた個展「世界のつくりかた」を挙げることができよう。これは、過去に冨井が行なった個展のなかでも、指示書が中心におかれた数少ない展覧会である。

三

彫刻において「指示書」が不可欠なメディウムであるとはどういうことか――われわれが真に明らかにすべき問題はこれである。冨井大裕は、これまで一貫して「彫刻」について思考してきた作家だ。そのことは、作家の対外的なアイデンティティのみを担保とするものではなく、「今日の彫刻」という日々の実践（からなる作品）や、冨井を含めた複数の彫刻家による「AGAIN-ST」の活動などからも明らかである。

前者の「今日の彫刻」とは、直接的には、冨井がツイッターで日々アップロードしている写真の集合である。そこに写っているのは、基本的には作家の身の回りにある（と思しき）ごくありふれた光景であり、そこに審美的な操作が施された形跡はない。被写体もまた、古い建物のファサード、縦方向に伸びる水道管、さらには路上の落とし物など、何も言われなければ日常のスナップ写真以上のものには見えない。だが、これに「今日の彫刻」というキャプションが添えられることで、これらの写真はにわかに異なった相貌を帯びはじめる。その言葉をトリガーとして立ち上がるのは、ある物体が自立していることへの、あるいは複数の物体が絶妙なバランスでたがいを支え合っていることへの新鮮な驚きである。いずれにしても、これらに冠された「今日の彫刻」というキャプションが見るもののうちに惹起するのは、「これ」がいかなる意味において彫刻であるのか、という反省的な契機にほかならない。こうしたことに鑑みれば、ここで冨井がやろうとしていることは明らかである。「今日の彫刻」とは、「これを彫刻として見よ」という一種のインストラクションなのだ。

他方、後者のAGAIN-STとは、彫刻家である冨井大裕、深井聡一郎、藤原彩人、保井智貴を中心に、学芸員の石崎尚、デザイナーの小山麻子によって二〇一二年に結成された同人である。日本の彫刻の現状について考えることを目的とするAGAIN-STの活動形態は、展覧会だけでなく、冊子やトークイベントなど多岐にわたっている。とりわけ、その中心メンバーの四名が作家であり、なおかつ大学で教える教育者でもあることは、けっして二次的でない意味をもつように思われる。現在までに計十回の展覧会歴をもつAGAIN-STは、これまで東京を中心に日本全国の美術大学を行脚してきた。それは大学という場の利便性によるところも大きいだろうが、その内容を見てみると、やはりここにはそれ以上の必然性があるのだと思わされる。なぜならAGAIN-STの活動の核心には、彫刻の現状について学生たちとともに考え、それを（必要とあらば）展示や冊子にしていくという教育的な側面が見いだされるからだ。ここには、たんに彫刻家が寄り集まって何かをするという以上の教育的なモメントがたしかにある。

こうしてみると、冨井大裕の作品——およびそれに関連する活動——において、インストラクションというものがけっして些末な問題ではないことがわかる。絵画をはじめとするほかの伝統的なジャンルがそうであったように、二十世紀のさまざまな実験を通過した現代彫刻もまた、いったい何を彫刻とみなす（べき）かという批判的な問いを欠いては成立しえなかった。日本の戦後美術史にかぎってても、そこでは「もの派」や「ポストもの派」が投げかけたさまざまな問いがあった。冨井のひたすら軽やかな作品も、そうした過去の作品との格闘を通じて生み出された理論的考察と不可分である。つまりそこでは、彫刻を成立させるための諸条件が、たんなる技術的な修練とは異なる次元で考察されているのだ●3。

四

ここまでの内容を補助線として、われわれはこんな光景を想像してみることができる。《roll (27 paper foldings)》を購入した人間の前に、数枚の折り紙とホチキス、そして指示書がおかれている。当の人物はその指示書をもとに、折り紙を所定のかたちに丸め、それをホチキスで留めていくだろう。そしてそこには、写真などに見られるそれと寸分違わぬ彫刻作品が立ち上がる。指示書によって、その人は冨井大裕の作品を「つくる」ことができるのだ。

この彫刻家は、おのれの作品を見るものに対して「これを彫刻として見よ」というインストラクションをたえず発している。そのことと、作品の所有者に「これ

3 ― 本稿のように、冨井大裕の作品を「今日の彫刻」や「指示書」に注目しつつ論じたものとしては、服部浩之による次の文章が参照に値する。Hiroyuki Hattori, "Found Composition: Sculpting Based on Instantaneous Observation," Aomori Contemporary Art Center, 2011 (https://acac-aomori.jp/wp/work/2011-3-1/: accessed May 27, 2023).

を彫刻として在らしめよ」というインストラクションを発することは、基本的には地続きである——ここまでの議論から、そのような仮説を導き出すこともできよう。冨井の作品に、「彫刻のことは彫刻家にしかわからない」といったような、いたずらに秘教めいた身振りはない。むしろそれらの作品は、われわれの「彫刻」概念を拡大し、そこから新たな一歩を踏み出すための教育的なシグナルを発している。

最後に、ここまでの議論をまとめよう。冨井大裕の作品は、一般的な彫刻がそうであるような（半）恒久的な性格をそなえていない。ごくありふれた市販のパーツからなるその作品は、インストールのたびに解体と再構築を繰り返される。このことから、冨井の作品における指示書は、第一にごくプラクティカルな——すなわち作品のインストールに不可欠な——ものと考えることができる。

その一方で、冨井の作品における指示書は、たんなる作品の設計図としての身分にはとどまっていない。それはごく文字通りに、ひとつの彫刻作品をつくるための説明書なのだ。むろん、われわれ鑑賞者は、作品を見ながらその指示書を同時に読むことはできないようになっている（指示書そのものは展示されない）。だが、すくなくともわれわれはキャプションを通して、ここにひとつの彫刻を成立させるための明示的な「教え（instruction）」があることを知る。ある風景を彫刻として見てみること、あるいは、ごくありふれた日用品から彫刻をつくってみること——《今日の彫刻》から作品の指示書にいたるまで、これらの営みはすべて一続きである。

冨井大裕がつくっているのは、つまるところ、われわれを彫刻家にするための作品なのだ。

百年後の《ゴールドフィンガー》

三輪健仁［東京国立近代美術館　美術課長］

作品が見られることで存在しているのはその通りだと思います。人に見るという行為を続けさせるために存在しているとも言えます。そして、展覧会というのは見るための時間だと思っています●1。

二〇二〇年度、私が勤務する東京国立近代美術館は、冨井大裕の作品を収蔵した。《ゴールドフィンガー》（二〇〇七年）、《roll (27 paper foldings)》シリーズ（二〇〇九年）から五点、《今日の彫刻（110908-160908）》（二〇一一－二〇一六年）、《board band board #2》（二〇一四年）の計八点である。美術館の基本的役割は大きく二つあるとされる。一つは作品を適切に保管し次世代へ継承すること。私が就職した際、百年間は作品がきちんと残るような意識で仕事に取り組むべしと言われたことをおぼえている。百年間とは、一個人が現実感を持って想像可能な時間の幅ということであろうし、また百年先には保管のためのより良い技術や環境が生まれているのではないかという希望的観測も含まれているだろう。そしてもう一つは作品を展示し、多くの人々に鑑賞の機会を提供すること。この保管と展示は本来的に矛盾する行為なのだが、その折り合いを付けながら活動していくのが美術館である。

美術館に収蔵されることでこそ見えてくる作品の特徴というものはあるだろうか？ また或る作品を収蔵することでこそ見えてくる美術館の特徴はあるだろうか？ 百年後の冨井大裕の作品の姿を想像しつつ、以上の問いについて考えていきたい。まず、冨井の作品と美術館の収蔵との相性について見てみよう。東

1 ―「インタヴュー　冨井大裕×森啓輔（芸術文化政策コース二年）」『Culture Power（WEB）』
http://apm.musabi.ac.jp/imsc/cp/menu/selection/tomii_motohiro/interview.html

京国立近代美術館が扱う作品の時代幅は十九世紀末から現在までである。扱う時代の終点が閉じていない美術館では、作品収集は終わりなく続く。冨井の作品はそんな美術館にとってなかなか優しい存在だ。これは彼の作品の多くに言える特徴の一つだが、《ゴールドフィンガー》はコンパクトで場所を取らない。保管スペースのひっ迫はほぼすべての美術館が直面する問題であるが、分解可能であったり、納品形態が指示書のみであったり（つまり展示の機会が生じた際に初めて材料が準備される）、展示室での存在感に比して、収蔵庫における冨井の作品のたたずまいは大変慎ましい。また、どれだけ細心の注意を払っても作品は物理的に劣化していくことを免れないのが一般的だが、展示ごとに新品の画鋲を調達すればよい《ゴールドフィンガー》は、常に新しく光り輝いている。つまり保存や保管に関する物理面での心配りはほぼ不要である。《ゴールドフィンガー》は展示される場の特殊な環境に大きく依存していない点も、美術館にとっては好都合だ。冨井の作品の多くは、特徴のないことを最大の特徴とするホワイトキューブを前提に制作される。故に、たとえば百年単位で考えると美術館は建て替えや移転なども予想されるわけだが、そのように環境が変化したとしても作品はその本質を失うことなく、繰り返し展示し続けることができる。

《roll (27 paper foldings)》はどうだろう。こちらはコンパクトさ、指示書の存在などは《ゴールドフィンガー》同様だが、さらに美術館にとって「お得」な点がある。美術館で展示する際に作品の横に付すキャプションには以下のように記されている。「ご覧のとおり折り紙でできた彫刻です。雑に扱うと壊れそうで心配ですが、壊れたら新しく作っていいし、展示のたびに新しくしてもいい決まりです（だからって触ったりしないでください）。市販の折り紙セットの二十七色をすべて順に使い、一枚ずつロール状にまるめてホチキスで留め、四本のロールを真四角に組んだ形が基本ユニットです。作品一点ごとにユニットの組み合わせ方が異なり、それぞれの組み合わせ方は、収蔵庫にある指示書に記されています。誰が作ってもよい。それなら、作品とは何をもって作品なのでしょうか？この華奢な彫刻は、この他にもさまざまな論点を提示します。」

経年でへたってきたり、壊れたりしても作り直せる安心設計がなされており、《ゴールドフィンガー》とやや性格は異なるが、やはり常に新品状態をキープ可能だ。さらに注目すべきは、この作品の指示書に書かれたルールだろう。指示書にある作り方に従うなら、誰が作っても良いのである。たとえば美術館では、コレクションを題材にワークショップを行うことがしばしばあるが、その参加者に作ってもらうことさえ、原理的には可能である。ワークショップといえば普通、鉄の彫刻を紙で工作してみよう、といった感じになるのだが、この作品では、まんま折り紙で制作可能ということになる。作品と同じ素材、同じ制作工程のワークショップとは、なんという贅沢。《roll (27 paper foldings)》が、近現代彫刻の歴史への接続が顕著なシリーズの一つであることも、美術館としては大変ありがたい。美術館のコレクションは（たとえ日本の近現代を扱うという方針があるとしても）、互いにコンテクストの異なるばらばらの作品の集合である。異なるアイデア、ルール、必然性に基づき作られたそれらの作品たちが、展示空間で結びつくことによって生じる化学反応は、コレクションの醍醐味の一つなのだが、冨井の作品が四方八方に伸ばしていくネットワークの多彩さは、コレクション展でこそ活きるだろうとも思う。たとえばアンソニー・カロやジョン・チェンバレン、あるいは指示書という点ではソル・ルウィットのウォール・ドローイングなど、《roll (27 paper foldings)》は周りの作品へと接続し、矢継ぎ早に豊かな論点を提供してくれ

fig.1

る。《roll (27 paper foldings)》の#15［fig.1］は、カロの「テーブル・ピース」シリーズを想起させる作品である。「テーブル・ピース」は、スティール（鋼鉄）製の複数のパーツから成る作品で、台座に絡みつきながらパーツの一部が縁をはみ出し、ぶら下がるように構成されているのが特徴である。鉄本来の色を覆い隠す彩色の効果もあいまって、鉄という重い素材にもかかわらず、きわめて軽やかな印象を与える。冨井は批評家マイケル・フリードがカロの作品を論じる際に用いた「シンタックス（文を構成する各単語の結合の仕方）」という語に触れつつ、カロの作品におけるパーツ同士が、溶接という技術頼みの無理なつながれ方をしていないこと、それがカロの的確な「判断」にこそ基づいていることを指摘している●2。鉄なのに軽やかなカロの作品に対して、折り紙でできた《roll (27 paper foldings)》は文字通りに軽い。この作品を美術館で展示中に地震が起きた。おそらくこの作品をはじめて見たであろう看視員から「彫刻が台座から半分落ちかけています！」

2―冨井大裕「件名―元祖とは（見つけたあとにどうするか）」、田中功起『質問する―その1 2009–2013』（株式会社アートイット、二〇一三年）、一一八頁。

と慌てた報告があったのだが、台座にそっと乗ったフラジャイルな彫刻は、わずかもズレることなくそのたたずまいを保持していた。パーツ同士がつながれるべくつながれ、また作品がつながれるべき場につながれているという、その構造の確かさの証しだ。冨井の指摘したカロの作品における「シンタックス＝判断」が、《roll (27 paper foldings)》からも確かに感じ取られる（ただし溶接でも、ボルト留めでもなく、ホチキス留めだ）。その軽さ、もろさにもかかわらず冨井の「判断」による的確なシンタックスが作る強度は揺るぎない。このように《roll (27 paper foldings)》は一粒で二度も、三度も美味しい。

ここまで、冨井の作品が美術館の既存の枠組みにいかにうまくフィットし、素晴らしいパフォーマンスを発揮するかを述べてきた。これは見方を変えれば彼の作品は、美術館なり学芸員なりにとって、しごく便利で気安い存在という指摘にも受け取れるだろう。けれど当然ながら、そんなにも冨井の作品はお人よしではない。彼の作品には、美術館が安穏としてはいられないような特徴があるのだ。美術館が収蔵するのは指示書一枚のみ、常にピカピカ新しい《ゴールドフィンガー》であるが、展示ごとに三万個近くの画鋲を壁に刺していく労働は相当なものだ（ということが実際に作業してみて分かった）。また展示後、大量の画鋲はどう処理すべきか（サステナビリティへの配慮が不可欠となった現代において）？　画鋲や折り紙など既製品が作品のパーツとなっているわけだが、これらは百年後にも世の中に存在しているのか（ダン・フレイヴィンの蛍光灯や、ナム・ジュン・パイクのブラウン管モニターのように、画鋲や折り紙を大量にストックすべきだろうか）？　あるいはワークショップの参加者が作る（ことになるかもしれない）《roll (27 paper foldings)》は、等しく富井の作品となるのだろうか？　同時に複数の存在が許されるのか？　参加者は自作の《roll (27 paper foldings)》を家に持ち帰ってもよいのだろうか……。展示のたびに、未解決のまま開かれている問いが積まれていく。

富井の指示書はきわめて厳密で精確だ。それに従って作業を進めれば、作業する者の自由な解釈の余地はほぼなく、機械的に作品が姿を現すように設計されている。作業する者ごとの手癖のようなものも、富井は作品の構造の中にすでに織り込み済みだ。けれど指示書は、未来のすべてを予測することはできない（おそらく富井はそんなことも想定内なのだが）。富井の作品を収蔵することは、都度、都度生じる問いに的確な判断をくだす責任を負い続けるということでもある。その意味では、彼の作品は美術館にとって優しいどころか、大変に手強く、手がかかる。

*

冒頭に、作品が「人に見るという行為を続けさせるために存在している」という冨井の言葉を引いた。「見る」ことの重要性あるいは不可避性(「作品を見せたいと欲することから離れることができない」、「僕らがものから離れてしまわないのは、僕らが「見ること」から始めているから」●3)について冨井は、「見出す」や「見続ける」など時々に言葉を変えつつ強調してきた。この姿勢は、日々の生活の中で見出した彫刻的なモノ、風景、状況のスナップの集積である《今日の彫刻(110908-160908)》に明快にあらわれているだろう。

作者である冨井の「見続ける」ことの重視は、作品のコンセプトや構造に反映されるため、制作だけでなく、収蔵や保存、繰り返される展示といった局面へも当然波及する。冨井の作品には、関わる者に見続けること、あるいはケアやアップデートをうながす（要求する）仕掛けが周到に埋め込まれている。この点で、冨井が二〇〇八年三月二十二日から茨城のアーカスタジオにて続けている個展「企画展＝収蔵展」は興味深い。「企画展＝収蔵展」は作品が朽ちるまで続くようであるが、二〇二一年にアップデートが行われた。更新に際しての告知に以下のような一節がある。「二〇〇八年にキャプションもなし、アナウンスも基本なしで始めたパーマネントコレクション、作品のあり方への試み（キュレーションは当時のアーカスディレクター遠藤水城さん）を十三年振りにアップデートしました。新しく制作をするのではなく、見直すという作業をしました」●4。新しく制作するのでなく「見直す」こととは具体的に、「現存している作品の別のバージョンをつくり、同じようなシチュエーションの場所に追加展示」、「現存しているスタック系

3 ─冨井大裕「件名─『見ること』と『もの』の循環」、『質問する─その1　2009–2013』、二一五頁。

4 ─「MAU TOPICS」記事（掲載日：二〇二一年十一月二十二日）、武蔵野美術大学ウェブサイト https://www.musabi.ac.jp/topics/20211122_03_02/

の作品に素材を積み増し」などであったそうである。ここで見続けることとは、作品を、作品が置かれる場の変化を見直し続けることである。この不断の点検作業は、冨井の作品に（たとえばその構造や指示書の中に）あらかじめ組み込まれていたともいえるだろう。

　では、このような見直しがなぜ行われるのか。それは現在そして未来の観客によって、作品が見続けられるためであろう。かつて冨井はステイトメントにおいて「ものをそのままでありながら異なるものとして立ち上げる」●5と言明した。この一節に含まれる二つの「もの」が、もの≒ものという関係となるその在り様は、時間の中で変化していくだろう。もの＝もの、あるいはもの≠ものへと傾むいてしまうこともあるだろう。その時々で、もの≒ものの関係をキープし続けるよう微調整し、作品のアクチュアリティを確保するためには、見直しを繰り返さなければならないのだろう。そして冨井の作品においては、制作を英雄的な個としての作者から複数に開くことや、安易な参加型の作品において観客に与えられる自由とは異なるレベルで、見直し続ける行為に美術館や観客も巻き込まれていく。その絶妙な匙加減は、冨井の条件設定のなせる技だ。

「条件とは不自由であり、可能性である。不自由からしか自由は得ることが出来ない」●6。

「ものをそのままでありながら異なるものとして立ち上げること」について、《ゴールドフィンガー》から連想されたこんなエピソードに触れておきたい。キューバ出身のアーティスト、フェリックス・ゴンザレス＝トレス（一九五七―一九九六）は一九九〇年、ロサンゼルス現代美術館で開催されたアメリカのアーティスト、ロニ・ホーン（一九五五―）の個展を訪れ《ゴールド・フィールド》（一九八〇―八二年）を眼にした。一キログラムの純金を薄く長方形に延ばし、床に直接置いたこの作品は、ホーンにとっては「シンプルで物理的なリアリティ」、いわばもの＝ものを提示することがその第一義であった。しかし、ゴンザレス＝トレスはそこに「新しい風景、ありうべき地平線、安息の場所と絶対的な美」、「夢を見、エネルギーを取り戻

5―冨井大裕「作ることの理由」、冨井大裕ウェブサイト
http://tomiimotohiro.com/statementj.html
6―註5に同じ。

し、挑戦する場所」●7を見た。シニシズムがまん延し、階級、人種間格差が高まっていた当時のアメリカ社会や、エイズに侵されたゴンザレス＝トレスのパートナーに死が差し迫っていたことなど、制作時とは異なる状況下において、彼は《ゴールド・フィールド》にもの＃ものという関係を、そして「＃」という余地に新しい風景を見出したのだろう（その余地は、当然ながら潜在的に作品に埋め込まれていたものだろう）。そしてゴンザレス＝トレスはまもなく、金色の包み紙のキャンディを五四四キログラム、床に長方形に敷き詰めた《無題（偽薬―風景―ロニのために）》（一九九三年）を制作する。

冨井は鉄を素材とする作品を集めた展示についての文章で以下のように記している（画鋲もまた鉄であることを今一度思い出しておこう）。「単一の素材で制作された作品において、作者にこれだけの出会いと別れを繰り返させる素材を私は知らない。それは鉄が一口に鉄と言われながら、多様な姿と名前を持っているからに他ならない。そして、その姿に私たちはそれぞれの物語、記憶を重ねている」●8。

「ものをそのままでありながら異なるものとして立ち上げる」という言葉が冨井から発せられるとき、既製品を用いたその作風に引き付けて、この一節をイメージしがちだ。けれど、絵具というモノが風景を立ち上げ、大理石というモノが柔らかな肌のニンフを立ち上げるように、これは美術が変わることなく追い求めてきたことであろう。百年後の（ひょっとすると画鋲がすでに使われていないかもしれない）世界で、冨井の作品はどんな「もの·‖·もの」の関係を生み出し、また人はその「·‖·」の余地に、どのような物語と記憶を重ねられるだろうか。百年後の《ゴールドフィンガー》を想いながら、私たちはそれぞれ、見直しの作業を続けることにしよう。

7｜Felix Gonzalez-Torres, 1990: L.A., "The Gold Field", in *Earths Grow Thick: Works after Emily Dickinson by Roni Horn*, exh. cat. (Columbus, Ohio: Wexner Center for the Arts, Ohio State University, 1996), p. 65–69.

8｜冨井大裕「新しい素材」『現代の眼』六三六号、東京国立近代美術館ウェブサイト https://www.momat.go.jp/magazine/100

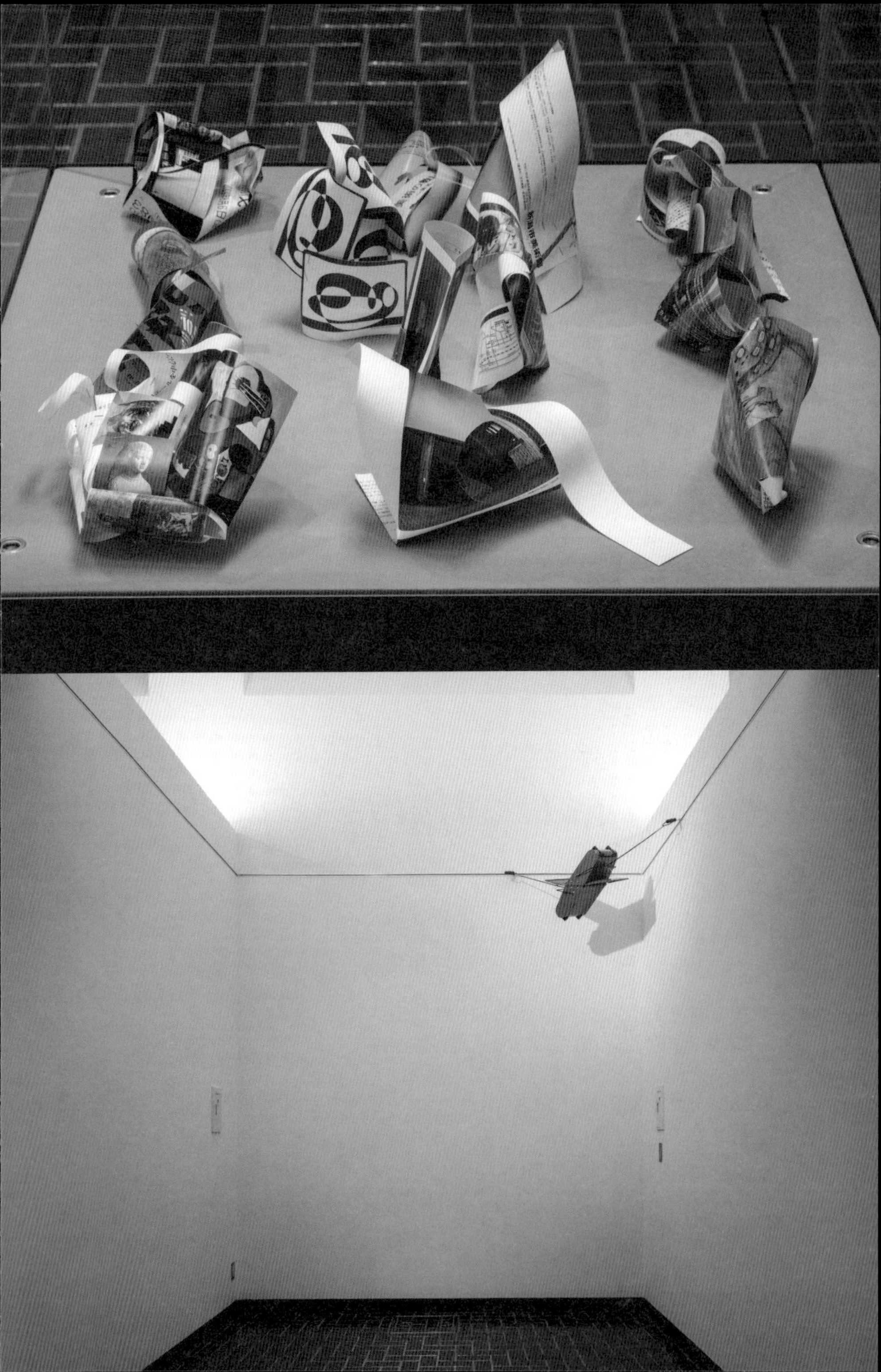

作品4　　右頁上｜作品7／右頁下｜作品5

上 | 作品14、15／下 | 作品12　　左頁上 | 作品18／左頁下 | 作品17

FOR LEAVES, GRASS CLIPPINGS, YARD WASTE
BIODEGRADABLE
LAWN & LEAF BAGS
5 SELF STANDING BAGS

上｜作品11／下｜作品10　右頁｜作品16

解題と解析——冨井大裕をみるための

荒井直美［新潟市美術館　学芸係長］

冨井大裕の作品を見るとつい幾何学を連想する。規則性をもって同一の物体が整然と列をなして並ぶ様子。積み上げられたアクリル板の平行な積層。それらは一つ一つ手で重ねられているにもかかわらず、四隅はそれぞれ一本の線を引いたように乱れることなく直角のエッジを見せている。そのリズミカルで明快な小気味よさは冨井作品の大きな造形的魅力をなしているが、それだけではその仕事の本質を見誤ることになるだろう。本稿では冨井の代表作をできるかぎり作品そのものに即して取り上げ、それらを結ぶ補助線によって冨井の制作の歩みを概観し、今回の展覧会「みるための時間」の解析を試みてみたい。

冨井にとって美術館での初めての大きな個展の、その入口に作家が据えたのは新作《メロー #3》である。細長い算盤玉のようなユニットを垂直に繰り返してそびえたつ姿は、ただちにコンスタンティン・ブランクーシの《無限柱》を思い起こさせる。母国ルーマニアの第一次世界大戦で失われた戦没者のために作られた記念碑であると同時に、美術史の上では、カール・アンドレに影響を与えミニマリズムの淵源ともなったことはいうまでもあるまい。アンドレに私淑する冨井は、逆さまの円錐台の形状をしたゴミ箱を互い違いに積み重ねるという、いかにも冨井らしい手法でこれに応えてみせた。ユニットの反復をベースにしたミニマルアートの系譜に連なる者としての宣言をこめたオマージュといえるだろう。

もちろん、アメリカのミニマリズムとの隔たりは小さくはない。冨井の仕事はその一種の限界を超え、発展的に解消しようと試みる。ドナルド・ジャッドやアンドレが用いた素材は工業製品であり、鉄鋼ならば鉄鋼そのもの、彩色も加工も文字通り最小限の単位、モジュールであった。垂直に伸びる《無限柱》にインスピレーションを得たアンドレが、正方形の鉄板を床に敷き詰めたことはよく知られている。一方、冨井が用いるのは、よく言われるように「既製品」、もっといえば「日用品」である。今回の展示で最初期に位置づけられるものは二〇〇五年の《woods》に遡るが、これは市販のハンマーを隙間なく並べたものである。冨井が用いる「日用品」は日用品ならなんでもよいわけではない。ハンマーは頭（持ち手ではなく、いわゆる打つ部分）を下に整列する。わたしたちはハンマーの使い方を知っている。持ち手を握って振るう道具だから、打つ部分が上になる姿を見慣れている。「頭を下に」置かれた姿は異様な光景として映ることになるが、しかしその頭は、釘を打ち込むために強度のある鉄で作られていて、当然ながら木製の持ち手よりもずっと比重が大きい。結果的に頭を下に置くと安定して自立する。このようにあらためて叙述するとあまりに自明で滑稽なほどだが、このことをハンマーを使ったことのある人間は経験的に知っており、頭脳を介することなく身体で瞬時に理解する。その「理解」は、おそらくは美術鑑賞のために働かせる感性とはいくぶん異なる、身体知とでもいうべきものがもたらすものである（ただし素材の物理に即した振る舞いを読み取る能力はこの身体知に基づいていることはいうまでもないことだが）。しかしいかにも合理的としかいいようのないその態勢でハンマーが行儀よく整列する姿は、道具としてのハンマーの現れとしては不合理という破綻をきたす。道具が果たすべき役割、その目的の実現のために備わったそのモノの形や条件、性能を、冨井はそのままに引き受けながらそれをいなすかのように「作品化」してみせる。演劇でいうところの異化効果と言ってもよいだろう。ハンマーは並べられているだけであって、いつでもわたしたちの知っているあのハンマーとして釘を叩くために用いることができる。美術作品は様相に過ぎない。

《ゴールドフィンガー》も様相としての作品であるといえよう。一八〇センチメートル四方に碁盤目のように刺さった画鋲の集合は、金色に煌めく平面を生み出す。わたしたちが何かを画鋲で掲示しようとするとき、水平垂直を意識して傾かないように掲示されるのは、画鋲で止められるほうの紙であって、画鋲ではない。《ゴールドフィンガー》ではその対象（すなわちobject／目的）は不在である。限りなく小さく見えなくなったといってもよい。微分された対象と積分された画鋲が現出する。何かを掲示する目的で、一時的に（それが長期にわたることがあったとしても）刺されるべき画鋲は、画鋲のための画鋲として、また二七、二二五回繰り返される画鋲を突き刺す行為も、まさにそのもの／ことだけの自律的存在として、芸術作品の地位を獲得する。

　カントは美を、目的なき合目的性と定義した。冨井は目的をもって量産された日用品を、その目的のために必要とされた性質・形状を生かして、本来の用途とは異なる秩序のもとに再構成する。その美は、道具本来の目的のゆえにこそ可能になったものではあるが、その目的自体は宙吊りにされている。ある目的の無効化、あるいは留保の上に招来される美として、冨井は日用品を美的観照の態度のもとに眺めるのである。ミニマルアートにおいては、素材を極限までそぎ落とした結果、色彩や質感はもちろんのこと、正方形や立方体といった無機的・人工的な形状にまで還元し、単なる物質として表現に従属させようとしたと考えるならば、冨井は日常の目的やコンテクストの豊かさを逆手に取って、美学的な問題提起を作品に与える。

　《woods》や《ゴールドフィンガー》においては、それでもかろうじてタイトルにレトリックが漂うが、一連のアクリル板を重ねたシリーズになると、《board pencil board》などのように、一切の物語性を排除して、タイトルそのものが即物的に作品の成り立ちを示すに至る。

ハンマーや画鋲の例と同じく、これらもまた作家の定めたインストラクションによってその都度組み立てられる作品である。カラフルな色彩に目を奪われがちだがこのシリーズで注目すべきは、冨井が徹底して対象の空間的量塊を扱っていることだろう。

色鉛筆にしろ折り紙にしろ、三次元の空間に一定の体積を占める物体である。色鉛筆とアクリル板を交互に重ねた《board pencil board》は、色鉛筆は一見ランダムに並べられているように見えながら、その両端は必ずアクリル板の一辺もしくはほかの鉛筆に触れるよう指示されている。つまり鉛筆の長さが各層の水平軸の配置を規定する。層の厚みは当然ながら鉛筆の太さであり、六角形の形状は安定して実に四十層に及ぶアクリル板を支える。冨井は色鉛筆の長さと幅と高さというヴォリュームを見逃さない。完成した作品は一見、直方体に固めたアクリルの塊にしか見えないが、垂直方向だけでなく水平軸にも繰り返される鉛筆の所作は目立たないながらも正しく伝統的な彫刻の量塊（マッス）や内と外の関係をスマートに提示し、ムーブマンの概念を更新するようにも考えられる。

《board paper board (half origami)》もまた、積み重ねと形状の必然が不

可分となった作品だ。正方形の対角線で斜めに二等分された折り紙は、美観の理由のみにより切られているわけではない。正方形のまま重ねていけば紙の集中する中央部分だけが厚くなり、これだけのアクリル板を均等に積むことは難しくなるだろう。直角二等辺三角形は各層で九〇度ずつ傾けられて積み重なり、板と紙は互いにかみあうようにして、わたしたちにも馴染みの正方形の折り紙の像を結ぶ。もっとも一ミリにも満たぬ一枚一枚の紙の厚みは見た目には厚みとしては感じられないが、冨井はたしかに紙を三次元のヴォリュームを持った対象として扱いながら、螺旋状の回転運動をはらんだ奥ゆきのイリュージョンを生み出す。

紙という材質も、冨井が早いころから好んで用いてきたものの一つである。しかもそれは折り紙や付箋、便箋など、わたしたちが実際に手にしたことがあり、その大きさや厚み、しなやかさなどが身体に刻み込まれた対象である。初期には無数の切り込みを入れたり、規則的な点を穿ったりすることを試みていたが、《roll (27 paper foldings)》は、丸めてホチキスで止めるという紙ならではの手法による構成であり、《paper work (Post-it) -wall piece-》は、付箋の規格のバリエーションや粘着面を組み合わせた作品群となった。いずれも敢えて「折る」「切る」という、より構成的な手段を取らずに、素材の弾性を前景化させ、二次元から三次元のマッスを立ち上げる。彫刻のイメージとはかけ離れた、薄くて軽いささやかな材質であっても、冨井は軽やかにその彫刻的可能性を開いていく。

それは日ごろのトレーニングの賜物ともいえるかもしれない。二〇一一年九月から冨井はツイッター上で《今日の彫刻》●1というシリーズの投稿を毎日続けている。路上のごみ袋の積み重なった様、立てかけられた看板、日常風景の中に、そのモノの重さや重心、素材の特性に応じてそこに「ある」姿をスナップ写真に捉えた、いわば観察記録だ。見知らぬ誰かがふと何気なく置いたあるがままのかたちも、力学的に適っているからこそその状態を保っている。それは彫刻の萌芽の発見ともいえよう。

1 | https://twitter.com/mtomii

さまざまな日用品を用いてきた冨井だが、一方で対象をこれと決めてから作品に至るまでは時間がかかるのだという。彼自身の日常からも切り離すことが必要なのだろう。むしろ一定の距離をとり、知りすぎていても知らなすぎてもいけない。

日本画家・近藤恵介との共作は例外的に二〇一〇年、近藤からのメールをきっかけとして始まった。近藤の作品についてここで詳述することはできないが、日本画の技法で室内空間にあると思しき家具調度・点景としての日用品（!）を丁寧な筆致で立面図のごとく正対して描くシリーズを展開している。その近藤が、冨井の作品を見て、自らの作品を提供しての制作を依頼したのである。もの静かにして過激なこの依頼は少なからず冨井を驚かせたが、近藤の直観は必然だったというほかない。

すっきりと端正な画面構成の中に、落ち着いたしぐさで二次元の絵画空間とは何なのかを、あえてそれとわかる三次元の室内空間をモチーフとして描くことによって問うてきた近藤自身の絵画的感性が、紙を素材とした例で見たように、二次元を三次元化する冨井の彫刻的感性に共鳴したということが、最初の大きな動機だろう。冨井にとっては単なる材質である紙としてではなく、絵画という内部にイリュージョナルな空間を内包する対象に取り組むことになる。三次元から二次元へ、そしてそれを再び新たな三次元へと再構築できるのではないかという予感に立った近藤のアプローチというわけだ。

二人がどこまで自覚的であったかはわからないが、よりラジカルに、これまで日用品の目的をいわば脱臼させることで「作品」を生起させてきた冨井に対し、もともとそれ自体以外に目的を持たない美術作品を素材としたとき、文字通りどのように切り込むのかという挑戦がここにはこめられていたと見ることができる。

このコラボレーションの顛末は、思いがけず共作作品そのものの被災と修復という高次の再構成も加わった詳しいレポートがあるのでそちらに譲る●2が、二次元に掲載された描線やイメージとの往還は、その後も冨井の制作にしばしば

2 近藤恵介・冨井大裕『あっけなく明快な絵画と彫刻、続いているわからない絵画と彫刻』HeHe、二〇一三年。

登場する契機となった。近年ではファッションブランド「tac:tac」●3とのコラボレーションとして、衣類の型紙の線を借りた立体造形を試みている●4が、これも身体という三次元のヴォリュームを、二次元に展開した衣服のパターンを、再度異なる三次元に構成しようという試みである。

素材の選択や態度がさらにやわらかくなったのは二〇一五年からのアメリカ滞在以降であるという●5。とくにフェルトによる《FW》は、これまで冨井作品においては付随的にしか扱われてこなかった色という質に着目した仕事となったし、市販されている落ち葉用ゴミ袋を題材に、五枚セットのすべてを使うこと、また販売時にたたまれているときについた折り目以外を用いないことを条件に構成した連作《PP_LLB》など、実験的な成果をもたらした。

帰国後まもなく手がけられた《斜めの彫刻》もまた、一見これまでの水平・垂直軸による厳格な構成からの止揚と見えるかもしれない。日本の外にいた冨井には、このころの日本は、折しも盛んになったSNSを通じて多種多様な発言が飛び交い、さまざまな価値観の衝突と分断がそこここに生じているように映った。アトリエには段ボールの端材に彩色したものが転がっていた。壁にかける絵にしたいでもなく、といって立体にするほどでもない、そこまで造形にいきたくない。それでも「色とかたちから自分は離れられない」「自分にできることって何だろう」●6、タテともヨコとも割り切れない気持ちがそのままかたちになったのだという。この作家には珍しい、けれどいかにもこの作家らしい、ささやかな立場表明であり、造形・表現することの相対化だったのである。

キャスターがつけられ移動可能な《斜めの彫刻》は、第三者的に富井自身を見守る反省的分身ともいえる。本展に点在する彼らは、代表作の居並ぶ会場

3—デザイナー島瀬敬章とパタンナー島村幸大太により二〇一三年に設立。二〇二三年春夏シーズンよりブランド名を「i'm here :」に改名。

4—個展「線を重ねる」（二〇二一年十一月二十日—二〇二二年一月十五日、Yumiko Chiba Associates viewing room shinjuku）。

5—帰国後の個展「像を結ぶ」（二〇一七年二月一日—三月十一日、Yumiko Chiba Associates viewing room shinjuku）のためのステイトメントを参照。http://ycassociates.co.jp/exhibitions/2017/01/27/650/

6—筆者によるインタビュー（二〇二三年三月二十五日、zoom）での発言。

を案内し導く狂言回しの役割を演じることだろう。見る者は、冨井がその制作において素材を吟味するごとく、綿密な構想のもとに配した展示空間に出会う。単一の素材（日用品）の反復、次元の変換を含んだ冨井の仕事が、空間全体にわたって自身の作品群により、同様に反復、積分されていることをわたしたちは知ることになるだろう。

「みるための時間」と題された個展は、実は三度目になる●7。過去二回の小品を中心とした展示を通して、この言葉は冨井の制作態度を表すキーワードとなった。「見る段階で制作の九〇パーセントが終わっている」という作家にとって、制作に占める「みる」ことの重要性はいうまでもないが、ここでは小品は代表作に拡大されて置き換わると同時に、展覧会やその体験という枠組みそのものが問われている。指示書によって何度でも組み替えられ、その都度様相を異にする作品の同一性とは何か。展覧会を見るという一回的経験とは何か。個々の作品によって深められてきた冨井の思考が凝縮し、輻輳されて見えてくる。

解析はそろそろ終わりに近づいた。ミニマリズム、目的性、ヴォリューム、次元、そして造形や表現することへのかすかな懐疑、あらためて「みる」ということへの回帰。しかしこうした座標の上を作家は必ずしもリニアーに歩んできたわけではない。彼は今、次なる探求のための中継地点に立っている。

　デビューまもないころ、作家は石膏を丸めた小さなひとがたの作品を発表していた。床や壁や、あるいは手すり、日用品に、立ったり横たわったり、ときには半ば頭を埋めるようにして、その小さなからだで、モノの内外をのぞき込んでは空間を測ろうとしていた。その姿は見えなくなって久しいが、あのときの小さなひとが、ここにもどこかに潜んでいる気がしてならない。もしかするとそれは、この空間に足を踏み入れた、わたしたち自身なのかもしれない。

7—二〇〇七年、武蔵野美術大学美術資料図書館・民俗資料室ギャラリーでの同題の展示では、展示手法も小品を中心とした構成ながら、作品に対峙する姿勢をコントロールする工夫が施された。翌年のギャラリーでの個展では木の枝や針金などさらに微細な素材を用いて構築された小品を発表している（二〇一八年九月十一日–九月二十一日、switch point）。

「もの」について考える（いいかげんに）

前山裕司
［新潟市美術館　特任館長］

大学のころ、「物自体」と口にした学生が、「それはカントの使っている意味ですか」と教授に言われるのを目撃したことがある。半世紀も前のことで教授が誰かも覚えていないが、「もの」という言葉はしばらくの間、使うときに一瞬立ち止まるような感覚が残るようになった。ここでは冨井大裕をだしに使いながら、「もの」のことをあれこれ、理論的でなく感覚的に、適当なことを考えてみたい。

カントの「物自体」とは、人に感知できるのは「現象」であって、「物自体」は感知できないとする。わかりにくいのだが、プラトンのイデアみたいなものか。この「物自体」はドイツ語で「Ding an sich」で、英語だと「Thing in itself」となるそうだ。フランス語だと「Chose en soi」。Ding、Thing、Chose、これらの「物／もの」はどれも「こと」を含み、「事物」に近い。それぞれ意味の範囲が異なり、Thingだと人を指すこともあり、ロシア語の「Вещь」だと「事物」から「作品」への広がりもある。日本語の「もの」は、国語辞典には「なんらかの形をそなえた物体一般をいう」●1とある。「もの言えば唇寒し」という用法もあるが、一義的に生命を持たない物体、つまり人工物を指すというのが多くの日本人の持つイメージではないだろうか。

人間が作り出した人工物の総量が、二〇二〇年に自然物の総量を超えたという研究があった。二十世紀初頭には三％だったそうだ。この傾向が続けば、

1 ―『日本国語大辞典』小学館、二〇〇一年。新潟の方言では「もの」は「がん」というらしい。

二〇四〇年は三倍になるという●2。だが、本当にこのまま「もの」は増え続けるのだろうか? 一九九〇年代以降のIT環境が生み出した現在、「もの」は減りつつあるような気がする。スマートフォン一台は、固定電話、カメラ、ステレオ、PCなどを減らし、これだけでも三つ減った計算となる。もしかすると、二十世紀後半は人類史上最も「もの」が溢れた時代だったとなるかもしれない。おそらく、都市に住む日本人が、生まれた時初めて手にしたのは(家族の手以外で)人工物で、人工物(植物も含む)しかない環境で育ち、「もの」は風景や自然の一部、いや全体という暮らしをしてきた。

「もの」の度数というものを仮想するなら、家のなかにある「もの」の度数は高く、自動車など大きくなるにつれて「もの度」が低くなる。建築などではさらに低い。つまり自分の身体との関わりで手に収まるような日用品が、「もの度」がもっとも高い気がする。これは、ほぼフェティシズムの話で、美術館の基本でもある「もの」への愛にもつながる。

カントから離れて勝手に空想する。人に感知できない「物自体」の世界で、「もの」は出番を待っている。いま机の上に「MONO」と表記された消しゴムがある。この「もの」は工場にあり、倉庫にあり、店舗にあり、机の引き出しにある。つまり、出番を待っているのだが、鉛筆の文字を消す役があるとは限らない。事実、この消しゴムは文字を消している側の反対側が切り取られている。展覧会場で立体作品を安定させる目的に使われたためだ。

五十年も前に見た、柏原えつとむの《これは本である》（一九七〇）のあるページを憶えている。正確でないかもしれないが、「うたたねの　枕一冊　ひきぬかれ」という川柳が書かれた、おそらく黒鉄ヒロシの漫画があった。本という「もの」が瞬時に別の「もの」に変貌する鮮やかさに衝撃を受けた。その視覚的記憶はいまでも消えていない。

つまり、「もの／日用品」は出番を待っているが、それは望んだ役とは限らない。いいかえれば「もの」の可能性の広がりは無限ではないとしても、大きく開かれている。

2　「生態学：人工物の質量が生物量を上回る」、*Nature* 288, 2020. https://www.natureasia.com/ja-jp/nature/highlights/105917

美術で「もの」といえば、デュシャンの「レディ・メイド」となる。最も有名なレディ・メイドで、美術史の極点にあるのが、《泉》（一九一七、紛失）●3という名を与えられた男性用小便器である。審査をしないニューヨークのアンデパンダン展で陳列拒否（デュシャンによれば拒否ではなく、抹殺）された事件に加え、便器が芸術か、というういまだに続く混乱が名声を高めている。ところで、二〇一八年の東京国立博物館の「マルセル・デュシャンと日本美術」で、大きなガラスケースに展示されていた最新の便座（関連企画ではあったが）はどう見ればよかったのだろう。

こんな想像もしてみたい。アンデパンダン展に出品されたのが《泉》でなく《瓶乾燥器》（一九一四、紛失）だったら、おそらくそのまま展示されたのではないか。《泉》が展示されないことを確信していたわけではないとしても、「かなり挑発的だった」●4と語っているように、アンデパンダン展の委員であったデュシャンには、何かが起こると予想していた。陳列拒否から「リチャード・マット事件」という抗議文の掲載までが想定内だったのだろう。だとすれば、展示される可能性のある《瓶乾燥器》はデュシャンの配役ではない。まだレディ・メイドと名付けられていない「もの」はパりで生みだされていた。木のスツールに車輪を取り付けた《自転車の車輪》（一九一三、紛失）や、ボトルを乾すためのラック《瓶乾燥器》などがそれだ。とくにパリのデパートで買って、何か文章を書き込んだ（デュシャンは覚えていない）だけの《瓶乾燥器》は、単体の日用品という、もっとも原理的なレディ・メイドといえる。

瓶乾燥器を古道具屋で見たことがある。美術館で見ても驚かないが、東京の古道具屋で、記憶によれば、高さが一メートル以上ある大型の瓶乾燥器に出くわした驚きは忘れられない。その時は買うかどうか迷っただけだったが、その出来事を改めて考え直してみた。思いついたのは、芸術にされてしまった仲間の復讐のために、大きな瓶乾燥器が降臨したというストーリーで、実にくだらなくて楽しい。そう、デュシャンのレディ・メイドは「もの」の日常から、上位の階層で

3 ―「紛失」という記載はオリジナルの紛失を意味している。多くは再制作されている。

4 ― Pierre Cabanne, *Dialogues with Marcel Duchamp*, Thames & Hudson, 1971.（M・デュシャン、P・カバンヌ／岩佐鉄男、小林康夫訳『デュシャンの世界』朝日出版社、一九七八年）

ある芸術へ無理やりアップグレードされたのではない。

デュシャンは自分の作品のことを「もの（chose）」と呼んでいた、と対談をしたピエール・カバンヌが伝えている●5。「もの／日用品」から「もの／作品」へのずらし。レディ・メイドがまだ名前のない一九一三年、デュシャンは「芸術でないような作品を作ることができようか」、とメモに残している。この時の「作品」は「もの（chose）」と書かれていたのかは未確認だ。

デュシャンがニューヨークで買った《折れた腕の前に》（一九一五、紛失）という雪掻きシャベルは、レディ・メイドと呼ばれた最初のものだ。重要な点は「レディ・メイド ready-made」という言葉にある。この英語が選ばれたのは、アメリカにいたためというより、言葉そのもののせいだ。「レディ・メイドという言葉は、一九一五年に私がアメリカへ渡ってから、生まれたものです。それは言葉自体として興味を惹きました」と語っている●6。「すでに、あらかじめ、作られたもの」という言葉はいかにもデュシャンが好みそうだ。自分が作らなくとも誰かによって作られているもの。

レディ・メイドというアイデアをデュシャンは拡大させていく。チューブ絵具もレディ・メイドと見なす。近代絵画はみな「人の手が加えられたレディ・メイド」となる。文字もそうだ。《一九一六年二月六日、日曜日のランデヴー》という四枚のハガキに打たれた文章は、文法的に正しく、意味を生成しないように組み立てられている。たしか、「レンブラントをアイロン台として使うこと」というメモもあったはずだ。

梶井基次郎の『檸檬』（一九二五）●7。説明するまでもないだろうが、京都の丸善で画集を積み上げその上に黄色いレモンを載せてそのまま外に出る、という話だ。学生時代に読んだ時、京都店は知らないので、日本橋丸善の空間を思い、洋書の山に載せた生のレモンを想像すれば、コンセプチュアル・アートの傑作としか読めなかった。これは「場所や状況を変える／ずらす」ことを意味する手法、シュルレアリスムの「デペイズマン」に類する行為とも読める。もちろん、シュルレアリストが「デペイズマン」という用語を使い始めるより前に書かれた小説な

5―同書。

6―同書。

7―梶井基次郎『檸檬』武蔵野書院、一九三一年。

のだが。

「何かが増えたり、減ったりすることで、その周囲に変化が起きる」、「ちょっとしたことで当たり前のことが妙なことになる」●8。これらは冨井大裕の言葉だが、「檸檬」の次の文章と並べてみたくなる。「私は埃っぽい丸善の中の空気が、その檸檬の周囲だけ変に緊張しているような気がした。」

日常と非日常の境界線は誰でも変わらない、というのは間違っている。「第一回所沢ビエンナーレ美術展――引込線」（二〇〇九、冨井大裕も参加していた）のシンポジウムを思い出す。展覧会の会場となった、使われていない貨物の線路のある旧車両工場を、何人かの作家は日常の空間という。私にとってそこは確実に非日常だった。足を踏み入れることのない高級店も日常とは思えないが、旧車両工場は私にとってワクワクするほどの非日常だった。

日常である生活道路には時に意外な「もの」が落ちていて楽しいのだが、住宅街の塀の上にあるコンニャクを見たことがある。黒くて四角いコンニャクは存在感があった。これもデペイズマンだ。冨井大裕が発信し続けている《今日の彫刻》という写真は、意外な「もの」が意外な場所にあるデペイズマンというよりも、タイトル通り「彫刻」の意識が強い。「もの」を扱いながら、彫刻の意識は垂直や斜めの作品に端的に現れるように、冨井がつねに持ち続けているものだ。

触れておきたいのが、ロシアの理論家ヴィクトル・シクロフスキイの「異化」（アストラニェーニエ　остранение）という用語だ。日常的な事物を見ることで直ちに理解してしまう「自動化」を避けるという意味で、「脱自動化」などとも訳される。英語だとDefamiliarizationとなる。慣れさせないとでも言おうか。普通の事物を非日常的、奇妙な方法で提示することで、世界を違って見る新たな視野を獲得することができる、といった意味だ。「石を石らしくすること」というシクロフスキイのよく知られる言葉がある。もの派と呼ばれた関根伸夫の発言「ほこりをはらうということでしょう。ものをものにすること」●9を思い出す。

8―「冨井大裕への質問」『練馬区立美術館三十五周年記念　Re construction　再構築』練馬区立美術館、二〇二〇年、五五頁。

9―「発言する新人たち」『美術手帖』美術出版社、一九七〇年二月号。

さて、正方形の金属板や同一のレンガを並べたり、積んだりする作品で知られるカール・アンドレの出番だ。それらは工業製品だが、レディ・メイドと呼ばれることがないことが興味深い。《ダダ・フォージェリーズ（偽造物）》という、例えばハイヒールとろうそくによる《フット・キャンドル》など、複数の「もの」が組み合わされているレディ・メイド的と呼ばれる作品群があるが、ここでは触れない。アンドレは、一九六六年の個展ではレンガ一二〇個を並べる作品を八点展示した。レンガはどれも二段に積まれ、縦と横の数がみな異なっていた。〈イクイヴァレント（等価物）〉というシリーズである。白っぽい耐火レンガは、赤いレンガと比べて個体差が少なく、交換可能でもある。鉄、鉛、マグネシウムなど正方形の金属板を敷き詰める作品でも基本姿勢は同じである。

アンドレの作品がレディ・メイドと呼ばれないのは、工業製品だからという理由よりも、デュシャンのレディ・メイドと異なり、ずらしがないためと考えたい。「私の理想の彫刻作品は道」と語っていることでわかるように、正しい「もの」の使い方があるとすれば、アンドレはレンガを「積む」、「並べる」という「正しい使い方」をしている。

では冨井大裕の《ゴールドフィンガー》(二〇〇七)はどうだろう。画鋲を「壁に」「刺す」のは「正しい使い方」と言えるだろう。冨井の画鋲が正しくないとすれば、その圧倒的な量だ。量によって立ち上がってくる金色の面となるのだが、人が指で刺すことによる避けられない揺れという誤差もまた重要だろう。冨井はこう書いている。「作品を展示することの肝は、場所の立地上のコンテクストから些細なディテールまでが、作品の設置により積極的な意味を伴って顕在化すること」●10。

冨井には《bricks》(二〇〇四)という作品がある。レンガという題名が、アンドレを暗示していることは間違いないだろう。この作品では台所用スポンジが積まれており、アンドレのレンガとはまったく異なるキッチュな色彩と安っぽさが際立っている。アンドレが床に平たく配置していくのに対して、上方に積まれた壁

10 ─ 冨井大裕「コメント」『引込線 railroad siding 2013 works』引込線実行委員会、二〇一三年。

のようなレンガの積み方になっている。裏面のゴワゴワした側が多く向けられているのもレンガらしいかもしれない。同じ素材による二〇〇六年の《four color sponges》になると、高さは一五〇センチほどになり、題名でもストレートに素材が示され、レンガからは遠く、より彫刻的になっている。

日常と非日常、あえて分けなくとも「もの」はどこにでもあり、どこへでもずれることができる。もちろん美術館にもたくさんの「もの」がある。「作品が展示されることで○美術館の空気が変わる○一緒に展示される作品の見方が変わる○展覧会ではお馴染みのアイテム(展示へ記念や床面、台座)の扱われ方が変わる、等々」●11というように、冨井大裕の作品が展示されることによって、この美術館は「異化」されるはずだ。

11―「冨井大裕への質問」前掲書。

上｜作品19／下｜作品26-1−6

作品25　　左頁 | 作品22

作品23　　右頁 | 作品21

LAWN
& LEAF
BAGS
5 SELF STANDING BAGS
FOR LEAVES, GRASS CLIPPINGS, YARD WASTE

LAWN & LEAF BAGS
5 SELF STANDING BAGS
BIODEGRADABLE
FOR LEAVES, GRASS CLIPPINGS, YARD WASTE
LAWN & LEAF BAGS
5 SELF STANDING BAGS
BIODEGRADABLE
FOR LEAVES, GRASS CLIPPINGS, YARD WASTE

作品35　右頁｜作品37

作品40　　左頁｜作品30

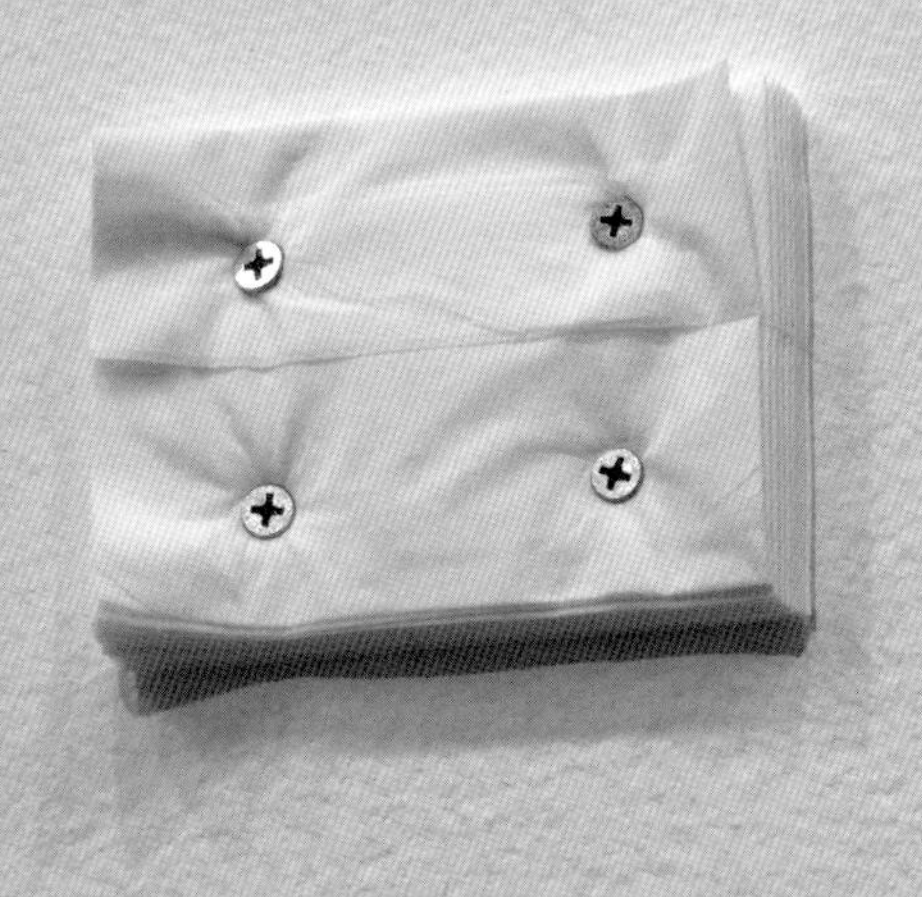

作品31　右頁上｜作品36／右頁下｜作品33

作品39　　左頁上｜作品29、28／左頁下｜コレクション展2「彫刻をみるための」新潟市美術館常設展示室

オーギュスト・ロダン

コレクション展2「彫刻をみるための」新潟市美術館常設展示室

会場図面

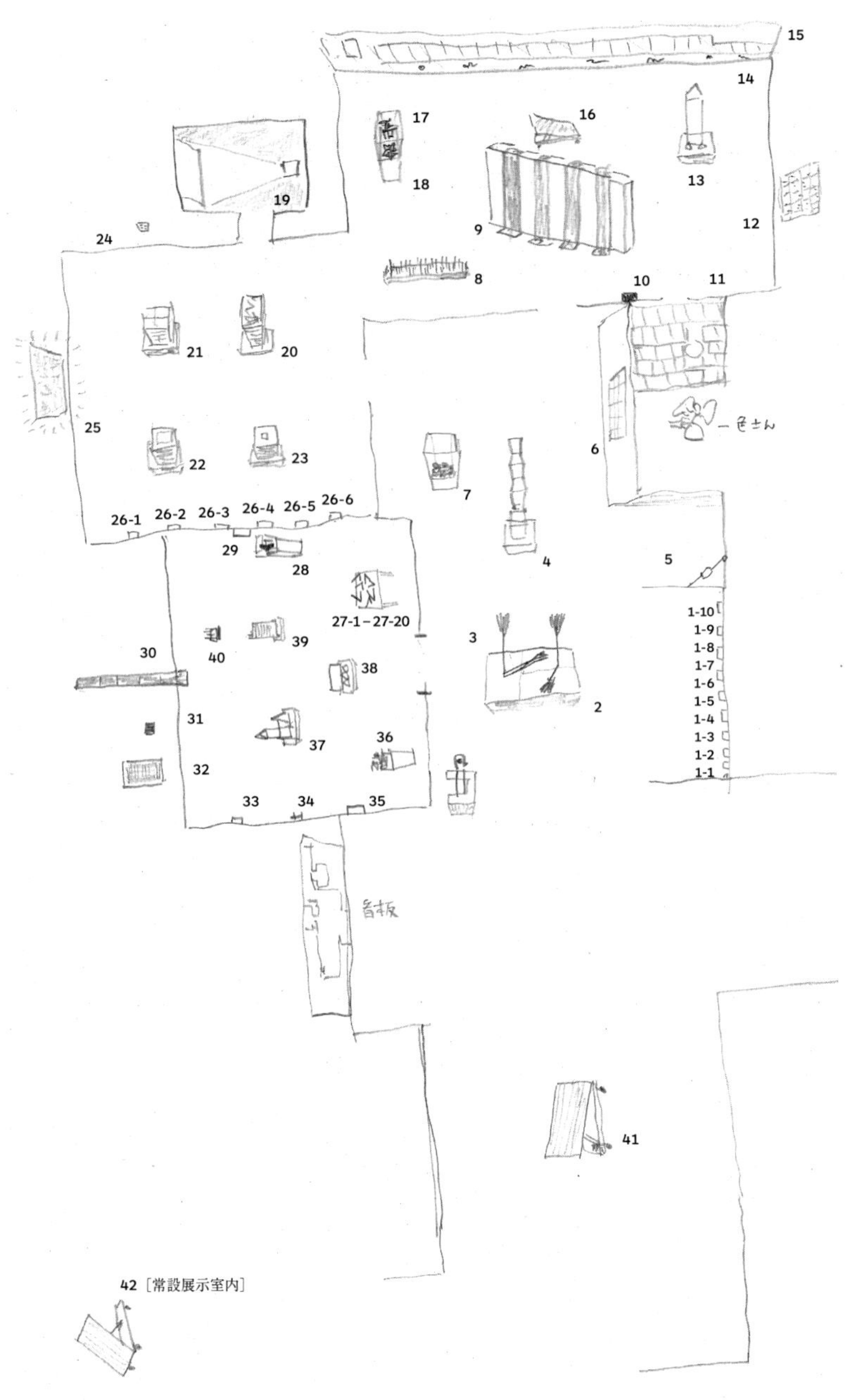

15
14
17
16
13
18
19
12
24
9
8
10
11
21
20
25
一色さん
6
22
23
7
26-6
26-1
26-2
26-3
26-4
26-5
4
5
29
28
27-1－27-20
1-10
1-9
3
30
39
1-8
40
1-7
38
1-6
1-5
2
31
1-4
37
1-3
36
1-2
32
1-1
33
34
35
音板
41
42［常設展示室内］

作品リスト

タイトル
制作年
サイズ（縦×横、高さ×幅×奥行、単位：センチメートル）
材質
所蔵

1-1
FWのためのドローイング
2015
20.2×26.6
鉛筆・水彩、方眼紙
新潟市美術館

1-2
ドローイング
2016
29.7×20.9
鉛筆・アクリル絵具・クレヨン、紙
新潟市美術館

1-3
ドローイング
2015
13.9×10.7
鉛筆、ルーズリーフ
新潟市美術館

1-4
ドローイング
2006
29.7×20.9
アクリル絵具・クレヨン、紙
新潟市美術館

1-5
ball sheet ballのためのドローイング
2006
29.6×21.0
鉛筆・クレヨン、方眼紙
新潟市美術館

1-6
board pencil boardのためのドローイング
2007
21.0×29.6
鉛筆・色鉛筆、方眼紙
新潟市美術館

1-7
ドローイング
2007
20.9×29.7
アクリル絵具・クレヨン、紙
新潟市美術館

1-8
ドローイング　shape net shape
2009
25.7×18.2
ペン・マーカー、紙
新潟市美術館

1-9
ドローイング
2007
29.7×20.9
アクリル絵具・クレヨン、紙
新潟市美術館

1-10
ドローイング
2007
29.7×20.9
鉛筆・アクリル絵具・クレヨン、紙
新潟市美術館

2
縦と横（BR）
2020
127.0×31.5×136.0
箒、ボルト、ナット
作家蔵

3
縦と横（BB）
2020
123.0×26.6×126.0
箒、ボルト、ナット
作家蔵

4
メロー＃3
2023
212.0×27.0×24.0
木製ゴミ箱、鉄、ボルト、ナット
作家蔵

5
角の誘惑（midori）
2020
38.0×136.0×81.5
塵取り、ボルト、ナット
作家蔵

6
another exhibition（nigata）
2014
29.7×21.0　十枚
新潟市美術館のフライヤーを元にした彫刻作

品とフライヤーの写真を用いて制作した印刷物
印刷物デザイン：川村格夫（ten pieces）図版撮影：柳場大
作家蔵

7
another exhibition（niigata）の元彫刻
2014
十一点組
新潟市美術館のフライヤー、ホチキス
作家蔵

8
woods#2
2009
35.5×295.0×23.0
ハンマー、指示書
作家蔵

9
16 jeans（on wall and floor）
2015
409.0×48.0×36.0　四点
ジーンズ、釘、指示書
作家蔵

10
今日の彫刻（110908-160908）
2011-16
26分52秒　モニター一　9.8×12.0×4.0
デジタル画像（一六一二枚、スライドショー形式）、
モニター
作家蔵

11
ドローイング 20150330-20160313
2016
29.7×21.0　三四九枚
紙に鉛筆、木炭（原画のコピー）
作家蔵

12
FW（combined colors）
2015
（各）22.0×22.0×0.6　三十六点組
フェルト・ハトメ・スナップ
新潟市美術館

13
PP_LLB #9
2015
140.0×41.0×70.0
落ち葉用紙袋（五枚）
新潟市美術館

14
粘土のためのコンポジション
2018
陶、テラコッタ
作家蔵

15
sketches
2018
木炭、鉛筆、紙
作家蔵

16
斜めの彫刻（赤）
2020
174.0×56.0×185.5
アクリル板、木材、キャスター、蝶番、箒、ネジ、
ボルト
作家蔵

17
roll（27 paper foldings）#4
2009
27.5×35.0×23.0
折り紙、ホチキス、指示書
作家蔵

18
roll（27 paper foldings）#13
2009
18.0×46.0×28.0
折り紙、ホチキス、指示書
作家蔵

19
ドローイング 20150330-20160313
2016
7時間12分13秒
シングルチャンネルビデオ
作家蔵

20
board pencil board
2007
88.5×50.0×36.0
アクリル板、鉛筆
新潟市美術館

21
board band board
2014
68.5×40.0×40.0
PPバンド、アクリル板　アクリル板制作協力：益基樹脂
作家蔵

22
board paper board（Classico）#1
2019

45.0×45.0×45.0
アクリル板、トレーシングペーパー（クラシコトレーシングペーパー-FS）
作家蔵

23
board paper board（half origami）
2019
42.0×45.0×45.0
アクリル板、半分にカットされた折り紙
作家蔵

24
tissue and screw
2011
7.6×11.0×2.0
ティッシュペーパー、ねじ
作家蔵

25
ゴールドフィンガー
2007
181.5×181.5×0.1
画鋲（一七三二五本）、指示書
東京国立近代美術館

26-1
NR #1
2015
42.0×26.0
便箋
作家蔵

26-2
NR #2
2015
31.6×27.6
便箋
作家蔵

26-3
NR #3
2015
41.1×38.1
便箋
作家蔵

26-4
NR #28
2016
18.0×9.5
便箋
作家蔵

26-5
NR #37
2018
26.6×20.3
便箋
作家蔵

26-6
NR #7
2016
39.6×15.4
便箋
作家蔵

27-1
斜めの彫刻 #29
2017
33.1×2.5×34.4
段ボール、接着剤、アクリル、マーカー
作家蔵

27-2
斜めの彫刻 #16
2017
13.4×6.4×14.3
段ボール、接着剤、アクリル
作家蔵

27-3
斜めの彫刻 #8
2017
5.0×5.2×15.1
段ボール、接着剤、アクリル
作家蔵

27-4
斜めの彫刻 #22
2017
6.0×13.0×23.9
段ボール、接着剤、アクリル
作家蔵

27-5
斜めの彫刻 #23
2017
10.0×16.0×15.0
段ボール、接着剤、アクリル
作家蔵

27-6
斜めの彫刻 #26
2017
12.4×19.0×21.3
段ボール、接着剤、アクリル
作家蔵

27-7
斜めの彫刻 #25
2017

13.4×12.4×27.0
段ボール、接着剤、アクリル、マーカー
作家蔵

27-8
斜めの彫刻 #28
2017
30.3×10.3×36.0
段ボール、接着剤、アクリル
作家蔵

27-9
斜めの彫刻 #21
2017
3.3×4.0×10.0
段ボール、接着剤、アクリル
作家蔵

27-10
斜めの彫刻 #20
2017
13.0×5.0×16.8
段ボール、接着剤、アクリル
作家蔵

27-11
斜めの彫刻 #5
2017
8.0×3.8×24.3
段ボール、接着剤、アクリル
作家蔵

27-12
斜めの彫刻 #19
2017
4.8×3.3×16.5
段ボール、接着剤、アクリル
作家蔵

27-13
斜めの彫刻 #32
2020
16.7×5.6×18.7
段ボール、接着剤、アクリル
作家蔵

27-14
斜めの彫刻 #31
2020
10.0×5.6×18.5
段ボール、接着剤、アクリル
作家蔵

27-15
斜めの彫刻 #15
2017
9.3×7.6×17.9
段ボール、接着剤、アクリル
作家蔵

27-16
斜めの彫刻 #9
2017
7.0×4.9×26.3
段ボール、接着剤、アクリル
作家蔵

27-17
斜めの彫刻 #13
2017
3.0×23.6×6.0
段ボール、接着剤、アクリル
作家蔵

27-18
斜めの彫刻 #7
2017
5.3×11.0×10.7
段ボール、接着剤、アクリル
作家蔵

27-19
斜めの彫刻 #30
2020
16.0×5.8×18.5
段ボール、接着剤、アクリル
作家蔵

27-20
斜めの彫刻 #11
2017
2.6×12.3×7.0
段ボール、接着剤、アクリル
作家蔵

28
粘土のためのコンポジション
2018
陶、テラコッタ
作家蔵

29
sketches
2016
30.0×27.0×2.5
木炭、鉛筆、紙（スケッチブック）
作家蔵

30
4 jeans (on wall and floor)
2013
409.0×48.0×36.0

ジーンズ、釘、指示書
作家蔵

31
FW（5 colors）burnt umber
2015
22.0×22.0×0.6
フェルト・ハトメ・スナップ
作家蔵

32
ゴールドフィンガー
2022
121.0×84.7×0.1（パネルサイズ｜123.8×88.0×4.0）
画鋲（八四七〇本）
作家蔵

33
tissue and screw
2011
7.6×11.0×2.0
ティッシュペーパー、ねじ
作家蔵

34
今日の彫刻 140210
2014
12.7×17.8
写真
作家蔵

35
NR #40
2021
24.7×31.4
便箋
作家蔵

36
roll（27 paper foldings）#3
2009
21.0×43.0×27.5
折り紙、ホチキス、指示書
作家蔵

37
PP_LLB #12
2015
147.0×92.0×41.0
落ち葉用紙袋（五枚）
新潟市美術館

38
PP_LLB #19
2015
68.0×97.0×41.0
落ち葉用紙袋（五枚）
新潟市美術館

39
ball sheet ball（see through）
2014
81.0×45.0×30.0
アクリル板、スーパーボール
新潟市美術館

40
woods
2005
34.7×29.0×23.0
ハンマー、指示書
作家蔵

41
斜めの彫刻（SM）
2020
170.0×56.0×186.0
ポリカーボネイト波板、木材、キャスター、
蝶番、箒、ネジ、ボルト
作家蔵

42
斜めの彫刻（SS）
2020
170.0×56.0×186.0
ポリカーボネイト波板、木材、キャスター、
蝶番、箒、ネジ、ボルト
作家蔵

略年譜

一九七三 ━ 新潟県に生まれる。

一九九七 ━ 武蔵野美術大学造形学部彫刻学科卒業。

一九九九 ━ 武蔵野美術大学大学院造形研究科彫刻コース修了。
━ 第四回アート公募二〇〇〇審査員大賞受賞。

二〇一五 ━ 文化庁新進芸術家海外研修制度研修員としてニューヨークに滞在（―二〇一六年）。

［個展］

一九九八 ━「周辺のカタチ」ギャラリー現／東京

一九九九 ━「煙の点」ギャラリー現／東京
━「見えない部屋」ガレリアラセン／東京
━「ものかたち」なるせ美術座／東京

二〇〇〇 ━「あけすけ」（第四回アート公募二〇〇〇審査員大賞展）モリスギャラリー／東京
━「モノローグ」松明堂ギャラリー／東京

二〇〇一 ━「ありさま」マキイマサルファインアーツ／東京
━「ある」藍画廊／東京

二〇〇二 ━「隣の夢」なるせ美術座／東京
━「周辺と周縁」モリスギャラリー／東京
━「早送り、巻戻し、」ZaGallery有明／東京

二〇〇三 ━「世界の真上で」art & river bank／東京

二〇〇四 ━「荷物　baggage」switch point／東京
━シリーズ展「THE COVER」ZaGallery有明／東京

二〇〇五 ━「仮眠的」中崎透遊戯室／東京
━「空白の作り方」U8 Projects／愛知、CAS／大阪
━「いつものこと」switch point／東京

二〇〇六 ━「出会い直し」switch point、ギャラリー現／東京

二〇〇七 ━「みるための時間」武蔵野美術大学美術資料図書館・民俗資料室ギャラリー／東京
━「αMプロジェクト ON THE TRAIL vol.2」art space kimura ASK?／東京

■「まると四角」switch point／東京
■「世界のつくりかた」art & river bank／東京

二〇〇八
■「みるための時間」switch point／東京
■「身の回りのものによる色とかたち」遊戯室（中崎透＋遠藤水城）／茨城
■「企画展＝収蔵展」アーカス・スタジオ／茨城

二〇〇九
■「新作展」switch point／東京
■「かみの仕事」Art Center Ongoing／東京
■「copy boy」ギャラリー現／東京

二〇一〇
■「鉛筆のテーブル」switch point／東京
■「つくるために必要なこと」金沢美術工芸大学アートギャラリー／石川
■「ball pipe ball」玉川大学 Tamagawa Art Gallery Projects／東京
■「STACK」NADiff Gallery／東京
■「作品展」NADiff a/p/a/r/t 店内／東京
■「catch as catch can」現代HEIGHTS Gallery DEN／東京

二〇一一
■「taking bump」switch point／東京
■「5×14」NADiff Window Gallery／東京
■「色と形を並べる」ラディウム―レントゲンヴェルケ／東京

二〇一二
■「つくることの理由」Gallery Kart／東京
■「衣服」switch point／東京
■「四つの仕事」Art Center Ongoing／東京

二〇一三
■「透過と積層」ELTOB TEP ISSEY MIYAKE／東京
■「直線と周囲」switch point／東京
■「繊維街」N-MARK B1／愛知
■「combine-still-」Yumiko Chiba Associates viewing room shinjuku／東京

二〇一四
■「SHOW-CASE project No.1：三個の消しゴム」慶応義塾大学アート・センター／東京
■「daily composition」Art Center Ongoing／東京
■「繊維街 日本橋」NICA Nihonbashi Institute of Contemporary Arts／東京
■「SHOW-CASE project No.0：Blind Composition」慶応義塾大学アート・センター／東京

二〇一五
■「粘土の為のコンポジション」Yumiko Chiba Associates viewing room shinjuku／東京

二〇一六
■「つまずきとふみこみ」その混乱」Roots & technique／山形

二〇一七
■「turn」Art Center Ongoing／東京
■「スケッチ」代田橋 納戸、gallery DEN5／東京
■「像を結ぶ」Yumiko Chiba Associates viewing room shinjuku／東京

二〇一八 ▍「線を借りる」void+／東京
▍「Composition–Rules Within Objects」OPEN MUJI, MUJI Plaza Singapura／シンガポール
▍「コンポジション——モノが持つルール」ATELIER MUJI／東京
▍「関係する｜Interact photo session」howse／大阪
▍「関係する｜Interact」PANTALOON／大阪
▍「関係する｜Interact」(PLACE)by method／東京

二〇一九 ▍「彫刻になるか?——ノート、幕、BAR」マツモトアートセンターGALLERY、awai art center、kulwa／長野
▍「素描、彫刻」HIGURE 17-15 cas／東京
▍「泊まる彫刻」RC HOTEL 京都八坂／京都

二〇二〇 ▍「メロー」KAIKA 東京 by THE SHARE HOTELS／東京
▍「斜めの彫刻」Yumiko Chiba Associates viewing room shinjuku／東京
▍「紙屑と空間」Art Center Ongoing／東京
▍「一寸」照恩寺／東京
▍「動き」switch point／東京

二〇二一 ▍「線を重ねる」Yumiko Chiba Associates viewing room shinjuku／東京

［グループ展］

一九九七 ▍冨井大裕×丹羽陽太郎「Dramaturgie——すれ違う日常」キッド・アイラック・アート・ホール／東京

一九九八 ▍「対話する器」ギャラリー那由他／神奈川

一九九九 ▍木村裕×冨井大裕「存在の家——見知らぬ私のために」メタル・アート・ミュージアム光の谷／千葉
▍「第四回アート公募二〇〇〇」新木場SOKOギャラリー／東京
▍「ほどけない神経の鍵穴」ギャラリー那由他／神奈川
▍「武蔵野美術大学大学院修了制作選抜作品展」武蔵野美術大学美術資料図書館展示室／東京

二〇〇〇 ▍「美術の星座 Constellation of Art 1998-1999-2000」なるせ美術座／東京
▍「TRANSIT／経由・帯域」(第四回アート公募二〇〇〇ガレリアラセン画廊企画賞展)ガレリアラセン／東京
▍丹羽陽太郎×冨井大裕「机上の空論」ギャラリーマロニエ／京都
▍「GALERIA RASEN select 2000 Vol.2」ガレリアラセン／東京

二〇〇一 ▍「minimum continuation //継続」exhibit LIVE／東京
▍「GALERIA RASEN 2001」ガレリアラセン／東京

二〇〇二 ▍「PC展」ZaGallery有明／東京

「GALERIA RASEN session」ガレリアラセン／東京

二〇〇三
- 「Small Works Exhibition」ZaGallery有明／東京
- 「栞展」藍画廊／東京
- 「Jin Session 2003 Vol.4 "off topic"」ギャラリー人／東京
- 「PC2003」ZaGallery有明／東京
- 「アートと暮らす新世紀4　元気の素」ZaGallery有明／東京

二〇〇四
- 「conran show」OKADA STUDIO／愛知
- 「floating scale――『スケール』を巡る旅」学食2F／愛知
- 「space」U8 Projects／愛知

二〇〇五
- 「12 DIVERS AT THE MOUNTAIN GATE」旧山口履物店／東京
- 「MATERIAL MIXTURE」node cube／東京
- 「芸術の山／第0合／発刊準備公開キャンプ／立体編その1」NADiff／東京
- 「cat's heaven...!」gallery Archipelago／東京
- 「美術の星座2005 Constellation of Art」ギャラリーくまい／東京
- 「字界へ――隘路のかたち」長久手町文化の家／愛知
- 「深川HO-BOアート2」深川資料館通り商店街／東京

二〇〇六
- 「基準の技術」KABEGIWA／東京
- 「色と形」KABEGIWA／東京

二〇〇七
- 「ニュー・ヴィジョン・サイタマIII　七つの眼×七つの作法」埼玉県立近代美術館／埼玉
- 「pre」switch point／東京
- 「壁ぎわ」KABEGIWA／東京

二〇〇八
- 「BROKEN」TIME & STYLE MIDTOWN／東京
- 「5×5」万国橋ギャラリー／神奈川
- アートプログラム青梅「空気遠近法・青梅U39」青梅織物工業協同組合施設／東京
- 「ニューバランス」gallery Archipelago／東京
- 「DRAWING」TIME & STYLE MIDTOWN／東京

二〇〇九
- 「第1回所沢ビエンナーレ美術展――引込線」西武鉄道旧所沢車両工場／埼玉
- 「アテンプト2　矢櫃徳三・久家靖秀・冨井大裕・ジャンボスズキ」カスヤの森現代美術館／神奈川
- 「Inside Outline　冨井大裕+奥村雄樹」KABEGIWA／東京
- 「変成態――リアルな現代の物質性」Vol.2　冨井大裕×中西信洋「揺れ動く物性」gallery αM／東京
- 「リニューアル」武蔵野美術大学美術資料図書館／東京
- 「壁ぎわ」現代HEIGHTS Gallery Den／東京

二〇一〇
- 「冨永大尚+末井史裕+冨田大彰+森井浩裕+末田史彰+森永浩尚」switch point／東京
- 「近藤恵介・冨井大裕　あっけない絵画、明快な彫刻」Gallery Countach Kiyosumi／東京

- 「柳瀬荘アート・教育プロジェクト」柳瀬荘／埼玉
- 「間戸／WIND-OW」MA2 Gallery／東京
- 秋田県大館市アートプロジェクト「ゼロダテ／大館展2010」大館市大町商店街／秋田
- 「気象と終身——寝違えの設置、麻痺による交通」アサヒ・アートスクエア／東京

二〇一一

- 「ART & PRODUCT 〝アートとプロダクトの不穏な関係〟」AI KOWADA GALLERY／東京
- 「岡山芸術回廊」岡山後楽園／岡山
- 「再考現学／Re-Modernologio　phase2: 観察術と記譜法」国際芸術センター青森／青森
- 「柳瀬荘アート・教育プロジェクト」柳瀬荘／埼玉
- 「呼びとめられたものの光」名古屋ボストン美術館／愛知
- 「所沢ビエンナーレ美術展2011——引込線」所沢市生涯学習推進センター、旧所沢市立第二学校給食センター／埼玉
- 「横浜トリエンナーレ2011 OUR MAGIC HOUR 世界はどこまで知ることができるか?」横浜美術館、日本郵船海岸通倉庫／神奈川
- 「新しい立体造形：冨井大裕＋照屋勇賢」旧ウォーク館（前橋美術館建設予定地）／群馬
- 「彫刻・林間学校　アースバウンド」メルシャン軽井沢美術館／長野
- 冨井大裕＋末永史尚「二人展」switch point／東京
- 「MOTアニュアル2011　Nearest Faraway｜世界の深さのはかり方」東京都現代美術館／東京
- 「A POSSIBLE DIMENSION」PANTALOON／大阪

二〇一二

- 「岡山芸術回廊特別展　つながるけしき」岡山後楽園、岡山県立美術館／岡山
- 「柳瀬荘アート・教育プロジェクト」柳瀬荘／埼玉
- 「ジェロニモ」TURNER GALLERY／東京
- 「武蔵野美術大学大学院造形研究科彫刻コース展示——視差をしくむ」武蔵野美術大学 FAL／東京
- 「開港都市にいがた　水と土の芸術祭2012」万代島旧水揚場／新潟
- 「AGAIN-ST第一回展 "AGAIN-ST"」東京造形大学CSギャラリー／東京
- 「アウトレンジ2012」文房堂ギャラリー／東京
- 「四六〇人展」名古屋市民ギャラリー矢田／愛知
- 「RYUGU IS OVER!!——竜宮美術旅館は終わります」竜宮美術旅館／神奈川

二〇一三

- 「ボブ&ウィーダ」東京芸術大学 YUGA Gallery、立体工房／東京
- 「ジェロニモ」TURNER GALLERY／東京
- 「MOTコレクション　つくる、つかう、つかまえる——いくつかの彫刻から」東京都現代美術館／東京
- 「AGAIN-ST第二回展『首像』——自問するメディアとしての彫刻」日本大学芸術学部アートギャラリー、A&Dギャラリー、Chika Ecoda／東京
- 「引込線2013」旧所沢市立第二学校給食センター／埼玉
- 「マンハッタンの太陽 THERMODYNAMICS OF THE SUN 光学芸術から熱学芸術への拡張：十八世紀から二十一世紀の〝太陽画〟の系譜」栃木県立美術館／栃木

■「N+N展2013 アートいないいないばあ――アートの思考法」練馬区立美術館／東京
■「シリーズ・川崎の美術 響きあうアート」川崎市市民ミュージアム／神奈川
■「AGAIN-ST第三回展 DEPENDENT SCULPTURE――彫刻を支えるものは何か」東京芸術大学絵画棟一階アートスペース1／東京
■「Omnilogue：Your Voice is Mine」シンガポール国立大学美術館／シンガポール
■「空似」現代HEIGHTS Gallery DEN／東京

二〇一四
■「複々線」現代HEIGHTS Gallery DEN／東京
■「METAPLAY, PRAHA-TOKYO」Galerie Kritikü／プラハ
■「棚展」ヴィラ棚201／東京
■柳瀬荘アート・教育プロジェクト「アウェーゲーム――茶碗に勝てるか」柳瀬荘／埼玉
■「愉快」現代HEIGHTS Gallery DEN／東京
■「MOTコレクション コンタクツ」東京都現代美術館／東京
■「Drawing03 preference」渋谷画廊／東京
■「道草」現代HEIGHTS Gallery DEN／東京
■「AGAIN-ST第四回展 置物は彫刻か？」東北芸術工科大学7FGallery／山形
■竹尾ペーパーショウ二〇一四「SUBTLE」TOLOT/heuristic SHINONOME／東京
■「FUCHU OF MADNESS」LOOP HOLE／東京
■「白川昌生 ダダ、ダダ、ダ 地域に生きる想像☆の力」（白川昌生とのコラボレーションで参加）アーツ前橋／群馬
■「ニイガタ・クリエーション――美術館は生きている」新潟市美術館／新潟

二〇一五
■「アーティスト・ファイル2015 隣の部屋――日本と韓国の作家たち」国立新美術館／東京、韓国国立現代美術館／ソウル
■「引込線2015」旧所沢市立第二学校給食センター／埼玉
■「カメラのみぞ知る」Yumiko Chiba Associates viewing room shinjuku／東京
■「単位展」21_21 DESIGN SIGHT／東京
■「エディションワークス Prints & Originals」GALLERY SPEAK FOR／東京
■「メルド彫刻の先へ［彫刻と記録］」前橋文化研究所／群馬

二〇一六
■「アウラの行方」CAS／大阪
■「アートフェアキワマリ2016」水戸のキワマリ荘／茨城
■「つらなるかたち」清津倉庫美術館／新潟

二〇一七
■アッセンブリッジ・ナゴヤ二〇一七「パノラマ庭園――タイムシークエンス」名古屋港～築地口エリア一帯／愛知
■「可展面のあたり」NADiff Window Gallery／東京
■「MOTサテライト二〇一七秋 むすぶ風景『ないようで、あるような』」東京芸術大学上野キャンパス アーツ・アンド・サイエンス・ラボ／東京
■「変貌する彫刻」ギャラリー湯山／新潟
■「AGAIN-ST第六回展 平和の彫刻」NADiff Gallery／東京
■「引込線2017」旧所沢市立第二学校給食センター／埼玉

▍「下品」Art Center Ongoing／東京
▍「ペパクラ」hibit／愛知
▍「あらたな価値を与える行為」clinic／東京
▍「AGAIN-ST第七回展 OUTBOUND——彫刻シンポジウム外伝」金沢美術工芸大学大学院棟・展示室／石川
▍「バズリアル」TOJINシェアハウス／佐賀
▍「パースペクティヴ（1）」インターメディアテク／東京

二〇一八
▍「AGAIN-ST第八回展 カフェのような、彫刻のような」cafe NEL MILL（東北芸術工科大学 ROOTS & technique）／山形
▍「でんちゅうストラット——グッド・バイブレーション」小平市平櫛田中彫刻美術館／東京
▍「水と土の芸術祭2018 MEGA BRIDGE」ゆいぽーと 新潟市芸術創造村・国際青少年センター／新潟
▍「メルド彫刻の先の先」Maki Fine Arts／東京
▍「卓上の絵画・春」（近藤恵介との二人展）MA2 Gallery／東京
▍「批評の契機」（川村格夫とのコラボレーションで参加）ギャラリー緑隣館／埼玉
▍「名をつくる」（出品+名の考案として参加）blanClass／神奈川
▍「ASIAN ART AWARD 2018 supported by Warehouse TERRADA ファイナリスト展」TERRADA ART COMPLEX 4F／東京
▍「コレクションのススメ展2018」カスヤの森現代美術館／神奈川

二〇一九
▍「AGAIN-ST第九回展 BREAK/BREAKER シュート彫刻のありか」武蔵野美術大学鷹の台キャンパス二号館三〇九・三二〇教室／東京
▍「Small Infinity」MA2 Gallery／東京
▍荻野僚介｜冨井大裕「二人の紙の仕事」H-Gallery／埼玉
▍「引込線／放射線」第一九北斗ビル、旧市立所沢幼稚園／埼玉
▍「でんちゅうストラット——星をとる」小平市平櫛田中彫刻美術館／東京
▍「時間／彫刻——時をかけるかたち」東京芸術大学大学美術館陳列館／東京
▍「大速攻展」水戸芸術館現代美術ギャラリー展示室8／茨城
▍「百年の編み手たち——流動する日本の近現代美術」東京都現代美術館／東京

二〇二〇
▍「部屋と庭　隔たりの形式」武蔵野美術大学美術館・図書館／東京
▍都美セレクション グループ展二〇二〇「描かれたプール、日焼けあとがついた」東京都美術館ギャラリーA／東京
▍「Re construction 再構築」練馬区立美術館／東京
▍「Mのたね」MUJIcom 武蔵野美術大学市ヶ谷キャンパス／東京

二〇二一
▍「constellation #02」rin art association／群馬
▍「MOMATコレクション」東京国立近代美術館／東京
▍「シネマ」代田橋 納戸、gallery DEN5／東京

二〇二二
▍「偽名展」武蔵野美術大学鷹の台キャンパス二号館三〇九・三二〇教室／東京
▍「AGAIN-ST ルーツ／ツール 彫刻の虚材と教材」武蔵野美術大学美術館・図書館／東京

■「六甲ミーツ・アート芸術散歩2022」六甲山（六甲山芸術センター）／兵庫
■「HANCO展」Flat River Gallery／東京
■「オリオンベルト、あるいはからすき星」HB.Nezu／東京
■「隣り合う隙間」mado-beya／宮城
■DOMANI plus @ 愛知「まなざしのありか」愛知芸術文化センター（愛知県美術館ギャラリーJ）／愛知

二〇二三■開館一周年記念展「デザインに恋したアート♡アートに嫉妬したデザイン」大阪中之島美術館／大阪
■「MOMATコレクション」東京国立近代美術館／東京
■「なりきりのあとで」府中市美術館市民ギャラリー／東京
■「あっけなく明快な絵画と彫刻、続いているわからない絵画と彫刻」LOKO GALLERY／東京
■「へいは」代田橋　納戸、gallery DEN5／東京
■「あっけなく明快な絵画と彫刻、続いているわからない絵画と彫刻」（オンライン展覧会）川崎市市民ミュージアム／神奈川
■冨井大裕・堀内正和　二人展「拗らせるかたち」Yumiko Chiba Associates／東京

［ワークショップ］

二〇一〇■「彫刻と絵画をめぐるワークショップ」（近藤恵介との共同）Gallery Countach Kiyosumi／東京

二〇一一■「ACACで自分の彫刻をみつける」国際芸術センター青森／青森
■「巨大静物をつくる」名古屋ボストン美術館／愛知
■「彫刻と絵画をめぐるワークショップ」（近藤恵介との共同）東京都現代美術館／東京

二〇一二■「中村正義から、つくる」（近藤恵介との共同）川崎市市民ミュージアム／神奈川
■「新潟市美術館の作品を紙でつくって、積み上げよう！」新潟市美術館／新潟
■「紙でたてもの園をつくろう」江戸東京たてもの園／東京
■「三つのかんけい　もの・おと・からだ」（齊藤紘良、東山佳永との共同）練馬区立美術館／東京

二〇一三■「彫刻と絵画をめぐるワークショップ」（近藤恵介との共同）川崎市市民ミュージアム／神奈川

二〇一四■「アーティストの一日学校訪問――ファウンドコンポジション」（企画：東京都現代美術館）八王子市立川口小学校、武蔵野市立第三中学校、富士見ヶ丘高等学校、江東区立第四大島小学校、新宿区立鶴巻小学校、豊島区立高南小学校／東京

二〇一五 ■「彫刻と絵画をめぐるワークショップ――四人の色／九回のコップ」（近藤恵介との共同）国立新美術館／東京

二〇一六 ■「ビジュツカンのまわりのフーケイからチョウコクをみつけて、ホントーのチョウコクをつくってみよう」神奈川県立近代美術館葉山／神奈川

二〇一七 ■「彫刻と絵画をめぐるワークショップ」（「引込線2017」関連企画、近藤恵介との共同）旧所沢市立第二学校給食センター／埼玉

■「ファウンドコンポジション」（佐賀大学芸術地域デザイン学部特別イベント「発生の場」関連企画）佐賀大学／佐賀

二〇一八 ■「部屋の中＝箱の中――美術館にあるものを、並べて／重ねて／繋げてみる」（「戦後美術の現在形　池田龍雄展――楕円幻想」関連ワークショップ）練馬区立美術館／東京

二〇一九 ■「彫刻と絵画をめぐるワークショップ――まとまらないものをまとめる」（近藤恵介との共同）佐賀大学美術館／佐賀

二〇二三 ■「彫刻と絵画をめぐるワークショップ――一枚と一個のかたち」（近藤恵介との共同）川崎市とどろきアリーナ／神奈川

［その他］

二〇〇八 ■版画集「壁ぎわ」（制作 Itazu Litho-Grafik）

二〇〇九 ■作品展示「福永信フェア」ジュンク堂書店（新宿）／東京

■作品展示「福永信フェア」ジュンク堂書店（池袋）／東京

二〇一〇 ■イベント「can work, hand work, other work」blanClass／神奈川

二〇一二 ■イベント「body work」blanClass／神奈川

二〇一六 ■イベント「ドローイング」blanClass／神奈川

二〇一七 ■公開制作「朝の美女」UCO（旧・潮寿司）／愛知

■公開制作「つくりっこ クラシカルと民主化」（「引込線2017」関連企画、中野浩二との共同）旧所沢市立第二学校給食センター／埼玉

二〇一八 ■イベント　彫刻おでん屋台「LA」（AGAIN-ST、LPACK、void+との共同企画）void+parking／東京

二〇一九 ■イベント　彫刻おでん屋台「LA」（AGAIN-ST、LPACK、void+との共同企画）void+parking／東京

■公開制作「Heads Bar」（保井智貴、熊谷卓哉との共同）RC HOTEL京都八坂屋上／京都

二〇二二 ■イベント「カフェノーザンライト」（LPACKとの共同企画）武蔵野美

術大学鷹の台キャンパス／東京

二〇二二 ━ イベント 彫刻おでん屋台「LA」（AGAIN-ST、LPACKとの共同企画）
武蔵野美術大学鷹の台キャンパス／東京

［展覧会企画］

二〇〇六年から末永史尚と「KABEGIWA（壁ぎわ）」として展覧会の運営、企画を開始。二〇一九年から展示空間「はしっこ」を運営。

二〇〇六 ━「色と形」KABEGIWA／東京

二〇〇七 ━「壁ぎわ」KABEGIWA／東京

二〇〇九 ━「ナノソートのナノトーク」KABEGIWA／東京

二〇一〇 ━ 良知暁「sites」ギャラリー現／東京
━ 田中裕之「モンタージュ」現代HEIGHTS Gallery DEN／東京
━「マスキングと絵画 大槻英世 荻野僚介 村林基」KABEGIWA／東京

二〇一一 ━「四人展─リチャード・スミス、チャモアペット・立花、チャン・イシイ、ヨハネス福井謙一」横浜美術館（「横浜トリエンナーレ2011 OUR MAGIC HOUR 世界はどこまで知ることができるか？」田中功起作品内）／神奈川

二〇一三 ━「掲示」日本大学芸術学部江古田校舎西棟地下一階美術学科彫刻アトリエ前廊下／東京

二〇一五 ━「On the wall / On the paper」KABEGIWA／ニューヨーク
━ Brian Shabaglian「Three Hour Image」KABEGIWA／ニューヨーク
━「旅行者の展覧会」KABEGIWA／ニューヨーク

二〇一六 ━「DM展（1）」hibit／愛知

二〇一九 ━ 豊島鉄也─中野浩二「二人のP」はしっこ／東京
━ 中﨑透「ソシアルミニマル」はしっこ／東京
━「端っこから」はしっこ／東京

二〇二〇 ━「ポリフォニックなプロセス＋プレッシャー」はしっこ／東京

二〇二二 ━ 鷹尾俊一─根本祐杜「二人のPとS」はしっこ／東京

参考文献

［単行書］

二〇〇八 ▮Tokyo Source『これからを面白くしそうな三十一人に会いに行った』ピエ・ブックス・冨井大裕「どう作っているのか、というところが、僕にとっての彫刻なんです」、九四―一〇二頁

二〇一〇 ▮冨井大裕『みるための本（つばめブックス019）』つばめブックス

▮北澤憲昭+杉田敦編『芸術表象コンセプトブック／アートプラットホーム』美学出版・冨井大裕、森田浩彰、杉田敦「壁ぎわ――脱物象化、あるいはモノからの逃走」、一〇六―一三二頁

二〇一一 ▮美術手帖編集部『日本のアーティストガイド&マップ』美術出版社
・保坂健二朗「解体と再構築のリアル リ・インストールされる世界2」、六〇―六一頁

▮冨井大裕『Motohiro Tomii : works 2006-2010』（私家版）
・梅津元「脱皮する彫刻――〈見る〉ことから〈こぼれおちるもの〉」、一六―一九頁

二〇一二 ▮福永信『こんにちは美術③ めくってたんけん！ いつでもあえる作品たちの巻』岩崎書店・福永信「美術館の壁で、黄金に輝く一枚の絵！」（頁記載無し）

▮Caroline Ha Thuc, *Nouvel art contemporain japonais,* Nouvelles Editions Scala, 2012・Caroline Ha Thuc, "Motohiro Tomii: la revelation du reel," pp. 12-13.

二〇一三 ▮冨井大裕、川村格夫『5×14』（私家版）

▮田中功起『質問する その1 2009-2013』アートイット・田中功起、冨井大裕「冨井大裕さんとの往復書簡 「見る」という行為が『作品である』ということに近づくとき、『作品』とはなにか、アーティストはなにをしているのか。」、一〇五―一四二頁

▮野崎武夫『仕事や人生や未来について考えるときにアーティストが語ること』フィルムアート社・冨井大裕「冨井大裕」、四〇―四三頁

二〇一四 ▮近藤恵介『十二ヶ月のための絵画』HeHe・冨井大裕「丁寧さを駆使した過激な近藤さんの絵画」、一六―一七頁

▮冨井大裕『another exhibition (niigata)』（私家版）

▮別冊KALEO『DOCUMENT MAU M&L / M 武蔵野美術大学美術館・図書館 美術館棟改修記念』武蔵野美術大学美術館・図書館・冨井大裕「武蔵野美術大学美術館は、誰の為の美術館で、何の為の美術館か」一五二―一五三頁

二〇一五 ▮TOMII Motohiro, *the plurality and lightness,* Yumiko Chiba Associates・SUMITOMO Fumihiko, "On TOMII Motohiro: the plurality and lightness," pp.35-40.

二〇一六 ▮藤井匡『公共空間の美術』阿部出版株式会社・「工芸から考える場所」、一七二―一七四頁

二〇一八 ■Art Center Ongoing『Art Center Ongoing 2008-2018 現在進行形の十年間』Art Center Ongoing ■小川希「紙から彫刻作品へ劇的な変容」、四七頁／「作家自ら企画した『全仕事展』」、一五一頁／「街に潜む『野生の彫刻』を提示」、二二六頁／「『下品』は創作の原動力になるか?」、三〇三頁／「境界線上にゆらぐ紙の絵画／彫刻」、三二四頁／冨井大裕「Ongoingな場所」、三八八頁

■冨井大裕『関係する｜Interact』Rondade

二〇二〇 ■冨井大裕『switch point 薄い冊子002 ‖ switch point／冨井大裕の二〇二〇年「動き」2020 3.19 - 4.8』switch point

■鷲田めるろ『キュレーターズノート2007-2020』美学出版合同会社 ■「『冨井大裕　つくるために必要なこと』展」、六六－六八頁

■青木野枝、冨井大裕、二藤建人、袴田京太朗、永畑智大『彫刻から遠く離れて』新しい大人舎

■冨井大裕『switch point／冨井大裕の十年』switch point ■冨井大裕「関わることと続けることを考えること」、二頁／石崎尚「冨井試練の十番勝負」、九四－九九頁

二〇二一 ■藤井匡『ミニマリズム後の人間彫刻』阿部出版株式会社 ■藤井匡、冨井大裕、大橋博、保井智貴、藤原彩人、阿久津裕彦、泉啓司、舟越桂、鷹野隆大「ディスカッション」、五四－八二頁／藤井匡、保井智貴、藤原彩人、冨井大裕、大橋博「ディスカッション」、一六〇－一八一頁

■中崎透『ひかりのうつわ、ことばのにわ』salon cojica ■冨井大裕「ソシアルミニマル」、五八－五九頁

二〇二二 ■久家靖秀『Reinventing the Wheel』BOOK AND SONS ■冨井大裕「無邪気なかたち」（頁記載無し）

■小松崎拓男『TOKYO POPから始まる——日本現代美術1996-2021』平凡社 ■「美術について、あるいは冨井大裕の作品について」、一五二－一五四頁

二〇二三 ■近藤恵介、冨井大裕『あっけなく明快な絵画と彫刻、続いているわからない絵画と彫刻』HeHe ■佐藤美子「あっけない絵画、明快な彫刻からあっけなく明快な絵画と彫刻へ」、四二－四三頁／杉浦央子「作品の相関関係について」、四四－四七頁／羽生佳代「応急処置にあたって」、四八－五一頁／近藤恵介「あっけなかったのか？」、五三－五五頁／冨井大裕「本当に続いてしまった『あっけない絵画、明快な彫刻』と、それから」、五六－五七頁／林卓行「Between the Lines 近藤恵介と冨井大裕の共同制作について」、七三－七六頁／近藤恵介「二〇一〇年から二〇二三年の、おわりに」、八二－八三頁／冨井大裕「実録の可能性（あとがきにかえて）」、八四－八五頁

［展覧会カタログ］

二〇〇六 ■『新世代への視点2006 画廊からの発言』東京現代美術画廊会議

二〇〇七

■『New Visions Saitama Ⅲ Documents』埼玉県立近代美術館
•梅津元「もどかしさの彼方で」、三六—四一頁

■『αMプロジェクト2007 ON THE TRAIL Vol.2　冨井大裕』武蔵野美術大学　•鷹見明彦「架空の通販カタログには……」、一頁

■『ARCUS Project 2007 IBARAKI　冨井大裕「企画展＝収載展」』アーカス・スタジオ　•遠藤水城「世界を素晴らしい台座にして、台座を素晴らしい世界にすること」、三四—三五頁

二〇〇九

■『字界へ——隘路のかたち』長久手町　•水野永遠［作家解説］、一九頁

■『空気遠近法・青梅U39』アートプログラム青梅実行委員会

■『第一回所沢ビエンナーレ美術展』所沢ビエンナーレ実行委員会

二〇一一

■『所沢ビエンナーレ「引込線」2011』所沢ビエンナーレ実行委員会

■『呼びとめられたものの光』名古屋ボストン美術館

■『MOTアニュアル2011　Nearest Faraway｜世界の深さのはかり方』東京都現代美術館　•鎮西芳美「Nearest Faraway｜世界の深さのはかり方」、一二—一三頁

■『変成態——リアルな現代の物質性』武蔵野美術大学　•天野一夫「変成態のために——『彫刻』の現在」、八—一二頁／天野一夫「揺れ動く物性」、六八頁／冨井大裕「作られるものの定義」、七〇頁／［第一回シンポジウム］、一四五—一七〇頁／［アーティストトーク］、一七一—一八一頁

■『冨永大尚+末井史裕+冨田大彰+森井浩裕+末田史彰+森永浩尚』switch point　•成相肇「引用は後出しジャンケンではない」（頁記載無し）／「まだ見ていない健闘を称えて——展示に向けて」（頁記載無し）

二〇一二

■『「再考現学／Re-Modernologio」phase2：観察術と記譜法』青森公立大学国際芸術センター青森　•服部浩之「複眼世界の建築法」、三—四頁／「found composition　瞬発的観察術による彫刻法」、五—七頁

■『武蔵野美術大学大学院造形研究科彫刻コース展示｜視差をしくむ』武蔵野美術大学彫刻学科研究室　•高島直之「世界の〈連環〉と〈隔たり〉——冨井大裕に寄せて」、八—九頁

■『四六〇人展』四六〇人展実行委員会

■『ヨコハマトリエンナーレ2011　記録集』美術出版社

■『ヨコハマトリエンナーレ2011　OUR MAGIC HOUR——世界はどこまで知ることができるか？』美術出版社　•三木あき子「OUR MAGIC HOUR——世界はどこまで知ることができるか？」、五五—五六頁

二〇一三

■『引込線 railroad siding 2013 works』引込線実行委員会
•冨井大裕［コメント］、六一—六二頁

■『MOTコレクション第一部　私たちの九十年　1923-2013　第二部　つくる、つかう、つかまえる——いくつかの彫刻から』東京都現代美術館　•鎮西芳美「つくる、つかう、つかまえる——いくつかの彫刻から」、五—八頁

■『マンハッタンの太陽　THERMODYNAMICS OF THE SUN』栃木県立美術館　•山本和弘［出品アーティスト略歴など］、一二二頁

■『Omnilogue｜記録』国際交流基金　•藪前知子「『あなたの声は私の声』という瞬間」、一〇—一一頁／池上司「美術に対して目を開く」、一四—一五頁／ミッシェル・ホー+シャビール・フセイン・ムスタファ「沈思雑談」、四四—四七頁

■『三つのかんけい　もの・おと・からだ　記録集』練馬区美術館

■『岡山芸術回廊 記録集』おかやま県民文化祭実行委員会 ●高嶋雄一郎［作家解説］、四三頁

■『開港都市にいがた 水と土の芸術祭2012 作品記録集』水と土の芸術祭実行委員会

■『空似アンソロジー』空似製作委員会 ●冨井大裕「思ったことをつぶやき続ける」、一四―一五頁

二〇一四

■『開館二十周年記念MOTコレクション特別企画 コンタクツ』東京都現代美術館 ●鎮西芳美「彫刻体験 カール・アンドレ×冨井大裕」、一一頁

■『ニイガタ・クリエーション――美術館は生きている』新潟市美術館 ●塩田純一「地域と創造。そして、『美術館は生きている』ということ。」、四―七頁／冨井大裕［Works 冨井大裕］、三四頁／荒井直美「ニイガタ・クリエーションは可能か？」、五八―六五頁

■『愉快アンソロジー』愉快製作委員会 ●冨井大裕「猪木の腕固め、並走者、グループ展」、一八―一九頁

■『SUBTLE サトル―かすかな、ほんのわずかな』株式会社竹尾 ●冨井大裕「制作意図」、九二頁

■『白川昌生 ダダ、ダダ、ダ――地域に生きる想像☆の力』アーツ前橋 ●冨井大裕、藤井光、中崎透「白川昌生を語る」、九六―一〇一頁

■『SHOW-CASE project［報告書］』慶応義塾大学アート・センター ●「レクチャー記録」、一六―二二頁／「ショーケースプロジェクトについて」、一二一―一二九頁

二〇一五

■『引込線 railroad siding 2015』引込線実行委員会 ●冨井大裕「作品解説」、三九頁

■『アーティスト・ファイル2015 隣の部屋――日本と韓国の作家たち』国立新美術館 ●米田尚輝「オブジェクトとイメージの隣接性」、一六―一九頁／南雄介「世界への漸近線」、一六四頁

二〇一七

■『下品アンソロジー』下品製作委員会 ●冨井大裕「品についてのエトセトラ」、一八―一九頁

■『AGAIN-ST BOOK』AGAIN-ST ●冨井大裕「ポストスクリプト冨井＞石崎：振り返ると首が居る」、三一頁／冨井大裕「仏壇の為の基壇（先祖の為の免震台）」、五〇―五一頁

■『やってみよう、アート 国立新美術館ワークショップ記録集 二〇一一年四月―二〇一七年一月』国立新美術館 ●「彫刻と絵画をめぐるワークショップ～四人の色／九回のコップ」、六二―六三頁

二〇一八

■『ASIAN ART AWARD 2018 supported by Warehouse TERRADA』一般社団法人アート東京 ●小澤慶介［作家解説］、一〇―一一頁

■『小林聡子「窓」』ギャラリーカメリア ●冨井大裕「小林聡子の作品」、一四頁

■『アッセンブリッジ・ナゴヤ2017―ドキュメント』アッセンブリッジ・ナゴヤ実行委員会 ●中村史子「旋律は街に流れる」、八二―八三頁／福永信「ちょうどよさ」、八四―八五頁

■『引込線2017 美術作家と批評家による第六回自主企画展』引込線実行委員会

二〇一九
■『時間／彫刻――時をかけるかたち』東京芸術大学美術学部彫刻科 ●李美那「時をかけるかたちたち」、四二―四五頁
■『百年の編み手たち――流動する日本の近現代美術』美術出版社
■『ATELIER MUJI Archive 2018』株式会社良品計画 ●冨井大裕「つくるということ」、三〇頁

二〇二〇
■『練馬区立美術館開館三十五周年記念 Re construction 再構築』練馬区立美術館 ●「冨井大裕への質問」、五五頁／真子みほ「再構築をめぐって」、六六―六九頁
■『ミナト・ノート』Minatomachi Art Table, Nagoya［MAT, Nagoya］
■『根本祐杜個展 PERFECT OFFICE』公益財団法人 現代芸術振興財団 ●冨井大裕「根本祐杜考」（頁記載無し）
■『冨井大裕 彫刻になるか？――ノート、箒、BAR』信州大学人文学部芸術コミュニケーション分野 ●松本透「十二月十日、冨井大裕展周遊――狐につままれたような夜」、一三頁／冨井大裕「作ることの理由」、一五頁／「作られるものの定義」、一六頁／「『結局は人か』――人体彫刻（塑像）から表現を始めることについての試（私）論」、一七頁
■『〈引込線／放射線〉Absorption/Radiation 記録集』引込線二〇一九実行委員会

二〇二一
■『都美セレクション グループ展 2020 記録集』公益財団法人東京都歴史文化財団東京都美術館 ●大谷省吾「こんがりと日焼けするためには？」、一九頁
■『switch point 薄い冊子 014 ‖ Water/proof ～移動する境界～』switch point ●冨井大裕「水と彫刻」（頁記載無し）
■『シネマ展 展覧会パンフレット』シネマ展実行委員会 ●冨井大裕「ご挨拶」、三頁／「キャラ立ちの光」、一二―一三頁

二〇二二
■『アーカスプロジェクト活動記録集2020-2021』アーカスプロジェクト実行委員会 ●「地域プログラム2021 アーカスを再び素晴らしい台座に」、五八頁
■『Articulation――区切りと生成――シンポジウム「アーティストは何を探求しているのか」』小山市立車屋美術館
■『六甲ミーツ・アート 芸術散歩2022』六甲山観光株式会社 ●高見澤清隆「作品解説」、一二頁
■『HANCO展 記録冊子』フラットリバーギャラリー ●冨井大裕［コメント］（頁記載無し）
■『BankART Under 35 2022 熊谷卓哉』BankART 1929 ●冨井大裕「距離の技法――熊谷卓哉の偏り」（頁記載無し）
■『DOMANI・明日2021-22 文化庁新進芸術家海外研修制度の作家たち』文化庁 ●冨井大裕「コメント」、八二頁
■『オリオンベルト、あるいはからすき星』伊藤結希、長田詩織、三宅敦大 ●三宅敦大「冨井大裕インタビュー」、一二―一五頁／伊藤結希「見ることは信じること、あるいは……」、二二―二三頁／長田詩織「営みと見立て」、二四―二五頁／三宅敦大「Soft perception」、二六―二七頁

二〇二三
■『開館一周年記念展 デザインに恋したアート♡アートに嫉妬したデザイン』大阪中之島美術館
■『へいは展 冊子』へいは展実行委員会 ●冨井大裕「小汚い鳩、礼賛」、一二―一三頁

［逐次刊行物］

二〇〇〇■提髪明男「intercommunication」『書道界』八月号、五六―五七頁
■藤島俊会「まじめと遊びが共存する飛躍」『新潟日報』六月三日付
■藤島俊会「〝疑念〟に心くぎ付け」『新潟日報』六月三日付
二〇〇一■藤島俊会「現代人の心の揺らぎを表現」『新潟日報』七月二十五日付
■藤島俊会「美術としてのあり方示す」『新潟日報』三月三日付
二〇〇三■提髪明男「intercommunication」『書道界』二月号、五〇―五一頁
二〇〇四■奥村雄樹「冨井大裕」『美術手帖』五六巻八五四号、九月、一九四頁
■藤島俊会「暗示に富んだ作品群」『新潟日報』八月七日付
二〇〇五■中村麗「イマジナル・ボール」『MMJ』七月号
■「アーティストになること」『美術手帖』五七巻八六三号、四月、一八五―一八八頁
二〇〇七■藤島俊会「言葉とモノに隔たり」『新潟日報』九月三日付
二〇〇八■「彫刻言語――彫刻」『REAR』一九号、八月、四一―四四頁
二〇〇九■西村智弘「日用品と作品 境界超越」『福井新聞』十二月三十日付
■西村智弘「日常の道具を作品に」『神戸新聞』七月十九日付
■西村智弘「日用品が美術であり得る境界狙う」『信濃毎日新聞』七月十日付
■藤島俊会「著作権強調し独自性」『新潟日報』二月七日付
二〇一〇■嶋崎吉信「書とアートでものあはせ」『墨』二〇七号、十一・十二月号、一二〇―一二一頁
二〇一一■冨井大裕「実体としてのツッコミ」『美術手帖』六三巻九六一号、十二月、二〇一頁
■「創造するまなざし『つくる』ひと 冨井大裕」『武蔵美通信』五六八号、六月号、一―七頁
■小川雪「並べ重ね非凡な輝き」『朝日新聞』四月十三日付
■藤島俊会「日用品で〝美術作品〟」『新潟日報』三月二十三日付
■島敦彦「身近な素材 持ち味生かす」『産経新聞』三月十八日付
■「二十一世紀のアーティスト」『ギャラリー』三二〇号、二月号、五三―五七頁
二〇一二■笹尾千草「ここに暮らす〝術〟としての『再考現学』」『AC2』一三号、三月、五八―六〇頁
■「Artist Interview」『AC2』一三号、三月、六一―六四頁
二〇一三■古谷利裕「世界の新鮮な姿 別のやり方で提示」『東京新聞』十一月二十九日

■「近藤恵介・冨井大裕　あっけない絵画、明快な彫刻〈再展示〉」『なnD』一、四月、三八—三九頁

二〇一四

■大西若人「『ご当地』超えた知的世界」『朝日新聞』三月十九日付

■荒井直美「ゆかりの若き才能集う」『新潟日報』二月十四日付

■冨井大裕「中原浩大の造形」『美術手帖』六六巻九九八号、一月、一一〇頁

二〇一七

■冨井大裕「スタンリー・トゥッチが描く、ジャコメッティの最後の肖像画の行方」『美術手帖』六九巻一〇六二号、十二月、一二七頁

■「interview　アートのチカラ　〝もの〟との距離を〝彫刻〟する」『武蔵美通信』六三七号、十月号、一—五頁

■冨井大裕／近藤恵介「刈り込まれた木」『なnD』五、三月、八—一三頁

二〇一八

■冨井大裕「大人の気分を感じる絵本」『絵本のたのしみ』(『こどものとも0.1.2』折り込みふろく)二八〇号、七月、四—五頁

■飯盛希「累乗の彫刻——印刷物とトートロジー」『MAPPING』第八号、五月、三四—三七頁

二〇一九

■成相肇「まず見る—第二十一回—名前を忘れてみる」『形 forme』三一八号、五月、二四—二五頁

■冨井大裕「モノクロで見えてくるもの」『なnD』七、五月、九二—九三頁

■梅津元、横山由季子、冨井大裕「座談会：美術館コレクションの未来」『美術手帖』七一巻一〇七五号、四月、一二七—一三五頁

二〇二〇

■「館蔵品より／へ愛をこめて『Re construction 再構築』展」『芸術新潮』七一巻一〇号、十月、一三八頁

■高橋咲子「コレクションを見せる」『毎日新聞』九月十六日付

■「彫刻家の版画　冨井大裕」『版画芸術』一八七号(二〇二〇年春)、三月、四六—四七頁

■「Creators　日常を加工　構造と向き合う」『読売新聞』三月二十五日付

二〇二一

■冨井大裕「雑記」『原稿集』第五号、九月、五—九頁

二〇二二

■霜山博也「眼差しの新たな実践——色彩と空間、光と時間」『REAR』四八号、四月、九〇—九四頁

■冨井大裕「ステイトメントを再読する」『武蔵野美術大学研究紀要』第五二号(二〇二一年)、三月、一七三—一七六頁

■三輪健仁「冨井大裕《board band board #2》」『現代の眼』六三六号、三月、一九頁

■冨井大裕「新しい素材」『現代の眼』六三六号、三月、一〇—一一頁

［Web］

二〇〇五▮藤田千彩「冨井大裕インタヴュー」PEELER、九月

二〇〇六▮近藤ヒデノリ「冨井大裕インタヴュー」Tokyo Source、二月

二〇一〇▮田中功起／冨井大裕「『見る』という行為が『作品である』ということに近づくとき、『作品』とはなにか、アーティストはなにをしているのか。」『田中功起　質問する』ART iT、七―十一月

▮藤田千彩「冨井大裕インタヴュー」PEELER、七月

二〇一一▮冨井大裕「明快な絵画、あっけない彫刻」『近藤恵介・冨井大裕　あっけない絵画、明快な彫刻』まとめサイト、四月

▮近藤恵介「完成を更新する」『近藤恵介・冨井大裕　あっけない絵画、明快な彫刻』まとめサイト、四月

▮冨井大裕「丁寧であること」『近藤恵介・冨井大裕　あっけない絵画、明快な彫刻』まとめサイト、四月

▮近藤恵介「経緯のこと」『近藤恵介・冨井大裕　あっけない絵画、明快な彫刻』まとめサイト、四月

▮成相肇「作品による作品の解釈と、冨井さんの半分の作品の話（近藤さんと冨井さんの展示から教わったこと）」『近藤恵介・冨井大裕　あっけない絵画、明快な彫刻』まとめサイト、四月

二〇一八▮「東京都現代美術館　収蔵作家インタビュー：冨井大裕」東京都現代美術館、十月

二〇二二▮久家靖秀「Ambulant Colors アトリエを巡る時間 File8.冨井大裕」OIL MAGAZINE、七月

［展覧会リーフレット］

二〇〇四▮林卓行 switch point（頁記載無し）

二〇〇五▮天野一夫「物の新『使用法』――冨井大裕のために」『冨井大裕展』特定非営利活動法人CAS（頁記載無し）

▮藤田六郎「制作における不自由と自由、および冨井作品の大きさについて」switch point（頁記載無し）

二〇〇六▮石崎尚「彫刻的な正しさ」switch point（頁記載無し）

二〇〇七▮成相肇「ぼやけた彫刻」switch point（頁記載無し）

二〇〇八▮『NEW BALANCE : Tomii Motohiro/Murabayashi Motoi/Suenaga Fuminao/Tanaka Hiroyuki』Gallery Archipelago（頁記載無し）

▮林卓行「〈なり〉で」switch point（頁記載無し）

二〇〇九▮福永信「冨井大裕さんの新作個展に寄せて」switch point（頁

記載無し）

二〇一〇 ■小松崎拓男「美術について、あるいは冨井大裕の作品について」switch point（頁記載無し）

二〇一一 ■住友文彦 switch point（頁記載無し）
■森啓輔「彫刻／絵画の自己言及性について」／冨井大裕「switch pointという場所」『冨井大裕＋末永史尚「二人展」』switch point（頁記載無し）

二〇一二 ■森啓輔「空ろの人体」switch point（頁記載無し）

二〇一三 ■林卓行「どうでもいいものをなせ」switch point（頁記載無し）
■［アンケート］『AGAIN-ST第三回展 Dependent sculpture ——彫刻を支えるものは何か』（頁記載無し）
■『Kart Invitation Program Vol.3 冨井大裕「つくることの理由」』Gallery Kart（頁記載無し）

二〇一四 ■［アンケート］『AGAIN-ST第四回展　置物は彫刻か？』（頁記載無し）
■『SHOW-CASE project No.1 冨井大裕　個の消しゴム』慶応義塾大学アート・センター（頁記載無し）

■天野一夫「揺れ動く物性　冨井大裕×中西信洋」『αMプロジェクト2009「変成態——リアルな現代の物質性」Vol.2』（頁記載無し）
■小川希「『世界のすべて』を通して見えるもの」Art Center Ongoing（頁記載無し）

■『SHOW-CASE project No.0 冨井大裕 Blind Composition』慶応義塾大学アート・センター（頁記載無し）

二〇一七 ■［アンケート］『AGAIN-ST第六回展　平和の彫刻』（頁記載無し）

二〇一八 ■［アンケート］『AGAIN-ST第八回展　カフェのような、彫刻のような』、二頁

二〇一九 ■［アンケート］『AGAIN-ST第九回展　BREAK／BREAKER シュート彫刻のありか』（頁記載無し）

二〇二〇 ■佐藤克久switch point（頁記載無し）

［プレスリリース］

二〇〇三 ■杉田敦「世界の真上で」『世界の真上で』art & river bank

二〇〇七 ■杉田敦「世界のつくりかた」『世界のつくりかた』art & river bank

二〇〇八 ■冨井大裕「みるための時間」『みるための時間』switch point

二〇一〇 ■冨井大裕『あっけない絵画、明快な彫刻　近藤恵介・冨井大裕』Gallery Countach Kiyosumi
■冨井大裕「鉛筆のテーブル」『鉛筆のテーブル』switch point

二〇一一 ▍冨井大裕「受け身を取る」『taking bump』switch point
二〇一二 ▍冨井大裕「衣服について」『衣服』switch point

二〇一三 ▍冨井大裕「combine」『combine -still-』Yumiko Chiba Associates viewing room shinjuku
▍冨井大裕「直線と周囲」「つまらない話」『直線と周囲』switch point

二〇一五 ▍冨井大裕「作家ステートメント」『粘土の為のコンポジション』Yumiko Chiba Associates viewing room shinjuku

二〇一七 ▍冨井大裕「作家ステートメント」『像を結ぶ』Yumiko Chiba Associates viewing room shinjuku

二〇二〇 ▍冨井大裕「作家ステートメント」『斜めの彫刻』Yumiko Chiba Associates viewing room shinjuku

二〇二二 ▍冨井大裕「作家ステートメント」『線を重ねる』Yumiko Chiba Associates viewing room shinjuku

コミッションワーク

二〇〇八 ▍日吉の家（設計 田中裕之建築設計事務所）／神奈川

二〇一七 ▍良品計画本部／東京

二〇二二 ▍i`m here : tac:tac ショップ&アトリエ「:（コロン）」／東京

パブリックコレクション

東京都現代美術館
川崎市市民ミュージアム（近藤恵介との共作）
新潟市美術館
東京国立近代美術館
練馬区立美術館

謝辞

本展開催にあたり、多大な協力を賜りました下記のみなさまに深く感謝の意を表します。

また、ここにお名前を記すことを控えさせていただいた協力者の方々にも心から感謝を申し上げます。

（敬称略・順不同）

冨井 大裕
東京国立近代美術館
栃木県立美術館
新潟大学
長岡造形大学
Yumiko Chiba Associates

三輪 健仁　上野 聖人
鶴見 香織　王 潤澤
山本 和弘　清水 直樹
千葉 由美子　谷原 有咲
宮中 由紀　長井 良太
近藤 恵介　佐藤 花音
小林 花子　小澤 ゆい
小松 佳代子　五十嵐 麻衣
丹治 嘉彦
田中 咲子
内藤 雅子

冨井大裕　みるための時間　二〇二三年六月六日［火］—七月十七日［月・祝］　新潟市美術館

展覧会

［主催］
新潟市美術館

［協力］
Yumiko Chiba Associates

カタログ

［執筆］
菊川亜騎
星野太
三輪健仁
荒井直美
前山裕司

［編集］
冨井大裕
川村格夫
千葉由美子／宮中由紀（Yumiko Chiba Associates）
飛田陽子／関根慶（水声社）

［撮影］
柳場大
城戸保（作品四〇）
冨井大裕（作品三一、三五）

［デザイン］
川村格夫

冨井大裕　みるための時間

二〇二三年七月一〇日第一版第一刷印刷
二〇二三年七月二〇日第一版第一刷発行

発行者―鈴木宏

発行所―株式会社水声社
東京都文京区小石川二―七―五
郵便番号一一二―〇〇〇二
電話　〇三―三八一八―六〇四〇
FAX　〇三―三八一八―二四三七
郵便振替　〇〇一八〇―四―六五四一〇〇
URL: http://www.suiseisha.net

［編集部］
横浜市港北区新吉田東一―七七―一七
郵便番号　二二三―〇〇五八
電話　〇四五―七一七―五三五六
FAX　〇四五―七一七―五三五七

印刷・製本―精興社

ISBN 978-4-8010-0739-0